A près des études
  universitaires au
Japon, une licence et
une maîtrise à
l'université Paris IV,
Keiko Omoto est en
charge des fonds
japonais de la
bibliothèque du Musée
national des Arts
asiatiques-Guimet.
Intéressée par les
rapports franco-
japonais, elle a publié
les premières études
relatives au voyage
d'Emile Guimet et de
Félix Régamey au
Japon.

F rancis Macouin,
  après des études
d'histoire à l'université
de Poitiers, enseigna le
français à l'université
Songgyungwan de
Séoul. Depuis 1978,
il est conservateur de
la bibliothèque du
musée Guimet.

*Dépôt légal : novembre 1990
Numéro d'édition : 49162
ISBN : 2-07-053118-X
**Imprimerie Kapp Lahure Jombart
à Évreux.***

QUAND LE JAPON S'OUVRIT AU MONDE

Francis Macouin et Keiko Omoto

DÉCOUVERTES GALLIMARD
RÉUNION DES MUSÉES NATIONAUX
HISTOIRE

« Le Japon n'a pas assez confiance dans les mœurs du Japon ; il fait trop vite table rase d'une foule de coutumes, d'institutions, d'idées même qui faisaient sa force et son bonheur. Il y reviendra peut-être, je le lui souhaite. »

Emile Guimet,
Promenades japonaises : Tokyo-Nikko, 1880

CHAPITRE PREMIER

QUAND LE JAPON S'OUVRAIT À L'OCCIDENT

Si cette *Etape sur la route du Tokaido* de Hiroshige représente l'essence de l'ancien Japon, l'empereur Mutsuhito, sur sa première photographie en costume occidental, prise le 8 octobre 1873, incarne la transformation du pays.

«Fukoku-kyôhei» et «bunmei-kaika»

«Enrichir le pays et renforcer l'armée» et «civilisation et épanouissement» sont les deux mots d'ordre des années 1870.

Par une décision gouvernementale datée du 9 août de l'an 4 de Meiji, les sujets nippons sont autorisés à abandonner leurs sabres et leur chignon : la civilisation est bien en marche.

Le 20 mars de l'an 6, l'empereur en personne accomplit l'acte symbolique : il fait couper sa chevelure. Les cheveux taillés à l'occidentale constituent une marque de progrès et on affirme qu'un coup sur une tête pareillement coiffée résonne au son de *bunmei-kaika*.

Pourtant, en 1641, le pays s'était refermé sur lui-même et, pendant plus de deux siècles, n'avait plus maintenu ouverte qu'une petite lucarne sur le monde extérieur.

Après le passage de saint François-Xavier (1549-1552), le catholicisme prospéra au Japon, malgré diverses répressions. Il fut définitivement proscrit en 1613. Les récits de martyres circulaient en Europe et donnèrent lieu à des illustrations comme cette gravure de Callot (à droite) montrant les vingt-six crucifiés de Nagasaki.

De la fermeture à l'ouverture

En 1587, moins de cinquante ans après l'arrivée des Portugais, les premiers Occidentaux à être parvenus au Japon, Toyotomi Hideyoshi, le grand chancelier qui gouverne le pays, décrète la première interdiction de l'évangélisation. En 1596, il fait exécuter vingt-six chrétiens, les premiers martyrs, à Nagasaki : il soupçonne la propagande chrétienne d'être un moyen d'envahir le pays.

Tout en reconnaissant l'intérêt du commerce avec les Européens, le gouvernement des shogouns Tokugawa (arrivés au pouvoir en 1603) se sent menacé par l'expansionnisme occidental dissimulé derrière le christianisme des puissances portugaise et espagnole. Il décide donc la fermeture du pays pour assurer le contrôle de l'Etat sur tous et sur tout.

L' intérêt porté aux choses des «Barbares du sud» entraîne, à la fin du XVIe siècle et au début du XVIIe, la réalisation de paravents très décoratifs à thèmes portugais, dits *nanban byôbu*. Construits généralement sur le même schéma, ils montrent un vaisseau au mouillage, une procession de marins, de pères jésuites et de serviteurs africains au centre, et, à droite, un «presbytère» à l'architecture japonaise.

Hors les Chinois et les ambassades coréennes, le
Japon n'autorise plus son accès qu'aux Hollandais,
et encore le limite-t-il à l'unique îlot de la ville
méridionale de Nagasaki, appelé Dejima.

Cependant au XIXe siècle, devant les pressions
menaçantes des nations en pleine expansion – Etats-
Unis, Angleterre, Russie et France –, qui cherchent à
obtenir des avantages commerciaux ou territoriaux en
Extrême-Orient, il est impossible de s'en tenir plus
longtemps à cette volonté de repli sur soi. L'arrivée
à Uraga, dans la baie de la capitale Edo, des bateaux
«noirs» américains commandés par le commodore
Perry en 1853 et, finalement, l'ouverture du pays
l'année suivante font prendre conscience au Japon
de sa situation critique. Face
au décalage technologique,
le gouvernement des
Tokugawa ne trouve
d'autre échappatoire que
l'acceptation de traités
dits «de paix et
d'amitié» avec les
pays occidentaux,
quelque
humiliantes qu'en
soient les
conditions.
L'ouverture
forcée du pays,
des problèmes de
succession du shogoun,
provoquent des

D ans le port de
Nagasaki, les
Hollandais vivent dans
une sorte de ghetto,
l'îlot artificiel de
Dejima.

Q uinzième et
dernier shogoun,
Tokugawa
Yoshinobu (1837-1913)
a été portraituré par le
Français Jules Brunet, à
l'intérieur du château
d'Osaka, le 1er mai
1867. A droite, un
fantassin de son armée.

oppositions au sein du Bakufu (le gouvernement des Tokugawa). La cour impériale prend de l'importance. Un mouvement ayant pour devise *sonnô jôi*, «respect de l'empereur, expulsion des étrangers», se développe. Lié à de puissants clans féodaux, tels ceux de Satsuma et de Chôshû, il aboutit au renversement du shogoun. Après l'accession au trône d'un jeune empereur, le shogoun Tokugawa Yoshinobu est contraint de lui rendre ses pouvoirs en novembre 1867. Malgré des résistances, l'armée des clans, soutenue par le peuple, l'oblige à abandonner la lutte en avril 1868.

La restauration du pouvoir impérial inaugure une nouvelle période, symboliquement nommée ère Meiji, «Gouvernement des Lumières». Il lui faut faire face aux dernières résistances et construire un nouvel Etat, en remodelant complètement le système politique, territorial (abolition des fiefs et instauration des départements), social (modification du statut des guerriers), économique ou juridique. L'ère Meiji représente véritablement l'instauration d'un état moderne capitaliste en remplacement, sans transition, d'un Etat féodal.

A Uraga, le 14 juillet 1853, le commodore M. C. Perry remet aux autorités japonaises une lettre du président des Etats-Unis à l'empereur du Japon. Son contenu : une demande d'ouverture du pays. Puis il se retire en indiquant qu'il reviendra chercher la réponse l'année suivante.

Les peintures des maisons des barbares

Bankan-zu «peintures des maisons des Barbares» est un album de peintures illustrant la vie à Dejima. Il fut réalisé vers 1797 à l'époque du gouverneur Gijsbert Hemmij, sans doute par Ishizaki Yûshi (1768-1846), un peintre de l'école de Nagasaki. La scène ci-contre dépeint le déballage des marchandises et des cadeaux qui viennent d'arriver d'Europe : pistolets, arquebuses, miroirs, alcool, verrerie, ou encore tissus de laine, velours et cotons imprimés... A l'aide d'une balance qui porte la date de 1787, on pèse des ballots de sucre. Les autres scènes représentées (festin, billard, préparation du poulet, forgerons, etc.) transmettent bien les détails de la vie des Hollandais enfermés dans cet îlot. En plus de son intérêt documentaire, cet album présente des traits artistiques typiques. A côté de techniques japonaises traditionnelles (vue plongeante, nuages d'or et d'argent), on note l'emploi de la manière occidentale pour le rendu des vêtements et des visages.

A l'école de l'Occident

A la fin du gouvernement des Tokugawa et au début de l'époque Meiji, le problème majeur et pressant pour les Japonais est de faire face aux puissances occidentales et de maintenir la sécurité intérieure. La solution doit être cherchée dans l'unification du pays, l'enrichissement économique et le renforcement militaire et politique. Elle passe surtout par l'importation ou l'implantation de la civilisation occidentale de l'époque. L'envoi de plusieurs missions ou d'étudiants en Europe et aux Etats-Unis, l'invitation de maints Occidentaux sont des nécessités premières pour sortir de l'isolement international et pour assimiler, à la hâte, une civilisation perçue à certains égards comme plus développée.

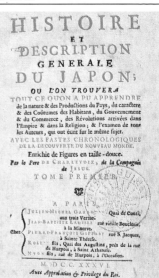

Certes, des tentatives d'assimilation de la «matière occidentale», dite «études hollandaises», avaient eu lieu durant l'époque de fermeture et des ouvrages avaient transmis des bribes de savoir occidental, mais elles furent quasiment limitées au domaine des sciences naturelles, de l'astronomie, de la géographie, de la médecine, de la botanique ou des arts. Pour les Occidentaux, après les premiers contacts inaugurés par les missionnaires jésuites du XVIe siècle, le Japon avait gardé son secret et son mystère. Les connaissances à son sujet ne transpiraient plus que par les médecins et les employés de la Compagnie hollandaise des Indes orientales (V.O.C.). C'est donc dans une situation toute particulière, où chacun désirait vivement obtenir des renseignements sur

l'autre, que l'ouverture du Japon est imposée.

Pressé par la nécessité de renégocier les traités, mû par le désir de se rendre compte de l'état de l'Occident et de sa technologie, le Bakufu, puis le gouvernement Meiji s'empressent d'envoyer aux Etats-Unis et en Europe des missions massives dont les jeunes membres joueront par la suite des rôles importants dans la construction et le développement de l'archipel.

Pour moderniser le pays et aider à assimiler rapidement la civilisation occidentale, on fait venir des Occidentaux, spécialisés dans des domaines aussi variés que la politique, le droit, l'industrie, les finances, l'éducation, la culture, la technologie, la médecine, etc. malgré le coût élevé du procédé.

Le père Charlevoix fournit un état des connaissances dont on retrouve l'écho chez les encyclopédistes.

Tous les quatre ans, le chef du comptoir hollandais se rendait de Nagasaki à la cour d'Edo. Le voyage de 1826 est représenté ici par Kawahara Keiga (1786-vers1865) qui a dessiné aussi les planches d'animaux. Cette occasion de quitter le confinement de Dejima permettait aux Hollandais d'acquérir de précieuses connaissances sur le pays. Des médecins comme Kaempfer, Thunberg ou Siebold les transmirent dans des ouvrages de valeur.

Premiers contacts franco-japonais

Ce sont les missions d'évangélisation jésuites des XVIe et XVIIe siècles qui ouvrent la voie. Le premier Français à être parvenu au Japon paraît être le dominicain Guillaume Courtet (1590-1637) martyrisé à Nagasaki en 1637 au moment de la proscription du christianisme qui accompagna la fermeture du pays. En 1615, Hasekura Tsunenaga, chef de la mission japonaise envoyée par le seigneur de Sendai, Date Masamune, et ses compagnons en route pour Rome, poussés là par une tempête, abordent fortuitement la terre française à Saint-Tropez.

On en reste longtemps à de vaines tentatives diplomatiques ou missionnaires (arrivée du père Forcade aux îles Ryûkyû, royaume tributaire du fief de Satsuma) sous la monarchie de Juillet. Les véritables contacts ne se produisent qu'à partir du Traité de paix, d'amitié et de commerce de 1858 signé par le baron Gros assisté d'un interprète, le missionnaire Mermet de Cachon, qui avait appris la langue aux îles Ryûkyû. L'année suivante, un consulat français est ouvert au temple Saikai-ji de Mita à Edo (le nom ancien de Tokyo) et le premier ambassadeur, Duchesne de Bellecourt, remet ses lettres de créance.

Le second Empire et le Bakufu

Conséquence de la confiance en la France que sait inspirer au Bakufu le deuxième ambassadeur, Léon Roche, la France est chargée de construire des chantiers navals à Yokosuka et des ateliers à Yokohama. L'entreprise est menée à bien à partir de 1865 par une mission d'ingénieurs

Guidé par un prêtre espagnol, L. Sotelo, Hasekura Rokuemon Tsunenaga arriva à Rome via le Mexique et Madrid, où il fut baptisé. Il sollicita du pape l'envoi de missionnaires et l'établissement de relations commerciales. C'est dans ce costume qu'il se présenta à Rome où son portrait fut exécuté par le Lorrain Claude Deruet. A son retour, la politique était plus sévère à l'égard des chrétiens. Dans ces circonstances, Hasekura disparut deux ans plus tard dans des conditions mal établies.

Publiée dans *L'Illustration*, une représentation imaginée de la remise de la lettre de créance de Duchesne de Bellecourt au taïcoun (le shogoun) à Edo, le 6 septembre 1859.

dirigée par un jeune homme de vingt-sept ans, Léonce Verny. La construction de ces usines par les Français concourt fortement à l'apprentissage par les Japonais de l'industrie moderne. En mars 1876, ils en exercent totalement le contrôle. Autour de cet arsenal où travaillèrent durant dix ans une centaine de Français, d'autres installations comme des phares, une usine de briques ou encore une adduction d'eau sont réalisées. Autre aspect, probablement non négligeable, de cette coopération : la création, à l'intérieur même de l'arsenal, d'une école pour former

Portrait de groupe d'ingénieurs français et d'administrateurs japonais, en Meiji 2. Au premier rang (quatrième et troisième à partir de la droite), Jules Thibaudier et Louis Félix Florent qui construisirent les premiers phares bâtis à l'occidentale.

les ingénieurs, conçue elle aussi par Verny. Cette institution, parallèlement au collège franco-japonais de Yokohama, créé en 1865, va former de futurs ingénieurs et hauts fonctionnaires.

Les liens particuliers entre le gouvernement shogounal et la France de Napoléon III se manifestent aussi sur le plan militaire. La modernisation de l'armée des derniers Tokugawa est confiée à une mission militaire française. Conduite par le capitaine Chanoine (futur ministre de la Guerre sous la troisième République), elle doit instruire les troupes du Bakufu dans les domaines de l'artillerie, de l'infanterie légère et de la cavalerie. Bien que ses membres soient compromis avec les vaincus du changement de régime et que la France ait subi, chez elle, une sévère défaite devant les Allemands, une seconde mission sera invitée en 1871.

Parmi les membres de la mission militaire envoyée en 1867 pour réorganiser l'armée de terre du Bakufu se trouvait un jeune officier d'artillerie, Jules Brunet (1838-1911), excellent dessinateur qui avait déjà pris part à la campagne du Mexique. A cause de sa participation aux combats de Hakodate contre les troupes impériales (1869), il fut destitué mais, à la faveur de la guerre de 1870, vite réintégré dans l'armée. Il finit sa carrière comme général de division.

Sur cette vue de Yokohama par Brunet, la ville japonaise est à gauche, la partie occidentale à droite. Au premier plan déambulent des soldats occidentaux, qui assurent la protection des légations.

La guerre civile

Avec le mont Fuji à l'arrière plan, ce dessin de Brunet montre les soldats du Bakufu au moment de la deuxième campagne contre le clan méridional de Chôshû (1866-1867). Cette opération fut un échec. Après la mort de l'empereur Kômei (1867), un coup de force au palais impérial (3 janvier 1868) permit à une coalition de clans féodaux (Satsuma, Chôshû, Tosa...) d'attaquer les troupes shogounales au nom du jeune empereur. L'armée des Tokugawa fut battue dès le début des hostilités, à la bataille de Toba-Fushimi, près de Kyoto, et dut se replier sur Edo qui fut investie en avril. Les clans du Nord furent défaits en novembre 1868, avant d'avoir pu organiser une résistance sérieuse. Dès le 27 avril, Yoshinobu, shogoun de 1866 à 1868, s'était retiré en exil à Mito.

L'ultime résistance

Au sud de l'île septentrionale de Hokkaidô, le port de Hakodate avait été ouvert au commerce extérieur en 1854. Le fort de Goryôkaku, construit en étoile «à la Vauban» et terminé en 1864, fut, après la prise d'Edo par les troupes impériales en avril 1868, occupé par un des derniers partisans du shogoun, l'amiral Enomoto Takeaki (1836-1908) durant plusieurs mois. Il ne se rendit qu'en juin 1869. Cette ultime résistance fut soutenue par une dizaine de membres de la mission militaire française, notamment par Jules Brunet. Cette page d'album japonais illustre une scène de défense du fort, le 12 mai 1869.

Industrie clé pour le Japon de l'époque, la soie grège est avec le thé la ressource financière la plus importante de l'Etat, surtout à cause de la destruction de l'industrie de la soie en Europe, provoquée par une maladie du ver à soie. Cette production traditionnelle reste cependant artisanale. Aussi, le gouvernement confie la construction d'une usine de filature à un Français, Paul Brunat, qui avait travaillé dans l'industrie et le commerce de la soie à Lyon.

Avec la fin du régime féodal, une réorganisation juridique s'imposait. Là, comme dans d'autres domaines, les Japonais font appel à des jurisconsultes étrangers. Georges Bousquet vient enseigner à l'école de droit entre 1871 et 1876, et Gustave-Emile

Afin de développer la production industrielle de filés de soie, on construisit à Tomioka une usine de filature. Quatre ouvrières fileuses et trois ingénieurs français y enseignèrent les techniques occidentales. Les mêmes ateliers sont vus sous le même angle dans une estampe et dans une photographie.

Les installations de Tomioka furent réalisées sous la direction de Paul Brunat (1840-1908) et le bâtiment construit par Edmond Bastien, ingénieur à Yokosuka. Achevée en 1872, l'usine reçut l'année suivante le prix du Progrès à l'Exposition universelle de Vienne. Malgré les dépenses élevées que ce procédé engendrait, les Japonais n'hésitaient pas à recruter de nombreux spécialistes occidentaux. De l'ouverture du pays jusqu'à la vingt-deuxième année de Meiji, 2 299 ingénieurs et conseillers participèrent ainsi à la modernisation du Japon, selon répertoire qui précise qu'il y avait entre autres 928 Anglais, 374 Américains et 259 Français...

Boissonade de Fontarabie, professeur à la Sorbonne, apporte tout au long d'un séjour de vingt-deux ans une très grande contribution.

Quand il était nécessaire d'apprendre le français

L'enseignement du français au Japon commence en 1808 lorsque, à Nagasaki, des cours sont donnés aux interprètes japonais par le Hollandais Hendrik Doeff. C'est que la nécessité en a été reconnue : les Russes ont envoyé une lettre menaçante rédigée... en français.

Les premiers dictionnaires, sous forme de lexiques trilingues, sont établis vers 1854 par Murakami Eishun qui fait paraître ensuite, en 1864, le premier dictionnaire français-japonais important. En dehors de l'école du Bakufu, le français est enseigné par Mermet de Cachon à Hakodate (1859), au collège franco-japonais à Yokohama ou encore à Nagasaki par Léon Dury. En 1870, il y a là une cinquantaine d'élèves venant de tout le pays. Au cours de l'ère Meiji, on donne des cours de langue française – ainsi que de matières spécialisées, comme le droit – dans les écoles publiques ou privées. Les professeurs sont soit des précurseurs japonais, soit des Français.

Georges Boissonade prit part à l'élaboration du code pénal, du code de procédure criminelle et du code civil, auquel furent finalement préférés les principes du droit allemand. Il forma nombre d'étudiants et participa aux négociations internationales.

Léon Dury, qui était consul à Nagasaki depuis 1863, y enseigna le français à l'école de langues étrangères Kôunkan jusqu'à la fin de 1871. Parmi ses élèves se trouvaient de futurs hommes d'Etat tels que Inoue Kowashi ou Saionji Kinmochi. Ci-contre en haut, une photographie prise par un des premiers photographes japonais Ueno Hikoma; presque tous les élèves portent les cheveux coiffés à l'ancienne. Sur la photo du bas, nombre d'entre eux les ont coupé. Le décret du 9 août 1871 autorisant cette pratique donne la clé pour dater ces deux clichés.

Le chef du comptoir hollandais de 1799 à 1817, Hendrik Doeff, avec un serviteur javanais, d'après Shiba Kôkan.

Du côté de la France, outre l'intérêt commercial ou stratégique commun aux autres pays occidentaux, la curiosité générale pour une contrée dont les mystères se dévoilent enfin est intense. Des reportages réguliers commencent à paraître dans les revues comme *Le Monde illustré* ou *L'Illustration*, avec des gravures de dessins ou de photographies, spécialement à l'occasion des ambassades nippones.

La première participation du Japon à l'Exposition universelle de Paris en 1867, avec un envoi massif d'objets traditionnels, marque une étape importante dans les rapports entre les deux Etats. L'engouement suscité par la découverte de l'esthétique et de l'art japonais se transforme en un mouvement artistique, le Japonisme, en Europe et spécialement en France dans la dernière moitié du XIXᵉ siècle. La littérature, avec des écrivains comme Théophile Gautier et sa fille Judith ou les frères Goncourt, se met à l'heure extrême-orientale.

En revanche, dans le concert des études orientales, le Japon ne prend que tardivement sa place. Le premier cours de japonais n'est assuré qu'en 1865 par Léon de Rosny qui a appris seul cette langue après des études de chinois. En 1873, ce même Léon de Rosny organise à Paris le premier congrès international des orientalistes. Cette fois, les études japonaises y figurent pour une part importante.

A l'occasion de l'Exposition de 1867, le Bakufu envoya une délégation conduite par le frère cadet du shogoun, Tokugawa Akitake. Ci-contre, le pavillon de thé japonais à l'Exposition.

Les membres de la première ambassade japonaise en Europe (1862), dirigée par Takenouchi Yasunori (deuxième à partir de la gauche), furent photographiés par Nadar.

38

Le 26 août de l'année 1876, neuvième de l'ère Meiji, deux Français, un industriel lyonnais, Emile Guimet, et un artiste, Félix Régamey, débarquent à Yokohama d'un navire américain, l'*Alaska*. L'objet de leur voyage : enquêter, dans ce Japon en pleine mutation, sur les religions orientales.

CHAPITRE II
UNE DOUBLE VOCATION

L' aspect de Yokohama, malgré le mont Fuji à l'arrière-plan, ne ressemble plus aux paysages dépeints dans les estampes de l'Ukiyo-e. Les légations construites à l'occidentale, les bateaux à vapeur, le train sont devenus les symboles de cette ville portuaire, dans laquelle arrivent Guimet (de face) et Régamey (de profil).

«C'est à devenir fou – penser que je suis ce soir à Yokohama avec l'océan derrière moi!»

Après quelques phrases pleines d'exaltation où il note le spectacle nouveau qui s'offre à ses yeux, Régamey conclut le soir même dans son journal : «C'est à donner envie de pleurer.» Guimet de son côté commence ainsi sa relation de voyage : «Lorsqu'après vingt-trois jours de traversée on entrevoit les terres japonaises dessiner, dans les brumes du matin, leurs silhouettes étranges, une double émotion envahit l'âme. Au plaisir bien légitime d'arriver au port vient s'ajouter la joie de toucher enfin à ce pays presque fantastique que le XVIIIᵉ siècle nous a fait deviner sur des laques, des paravents, des porcelaines et des ivoires, et que les récents événements politiques, les nouveaux moyens de locomotion ont, tout d'un coup, mis à notre portée.»

Pourtant, le lieu où ils abordent n'est pas le plus propre à leur causer cette sorte d'enivrement. Yokohama est alors un port récent en forte croissance, à la population cosmopolite, créé depuis à peine dix-huit ans pour le commerce avec les étrangers. Les négociants occidentaux, à prédominance anglo-américaine, se sont empressés de se construire un quartier à l'européenne. Le commerce pour gens de passage, de l'antiquité de pacotille au studio de photographe, y fleurit. Ce n'est donc point le site le plus typiquement japonais, mais les moindres détails de la vie locale, bateliers nus, baigneurs, pêcheurs, enfants portés sur le dos, pousse-pousse, fascinent les deux voyageurs et sont pour eux d'un exotisme extrême.

Par les ports récemment ouverts, la photographie s'introduit au Japon. La plus ancienne vue de Yokohama fut prise en 1854 par E. Brown Jr qui accompagnait Perry. Shimooka Renjô, le premier homme de l'art japonais de Yokohama, apprit la technique d'un Américain. Mais c'est Felix Beato, un Anglais d'origine italienne, arrivé vers 1863, qui demeure le photographe le plus représentatif par la qualité artistique et technique de sa production. Ses images de paysages (ci-contre une vue de Yokohama) et de personnages pleins de couleur locale et de charme exotique étaient, de la main d'artistes japonais, rehaussées de couleurs. Présentées souvent en albums sous une couverture laquée, elles constituaient un beau souvenir pour les voyageurs.

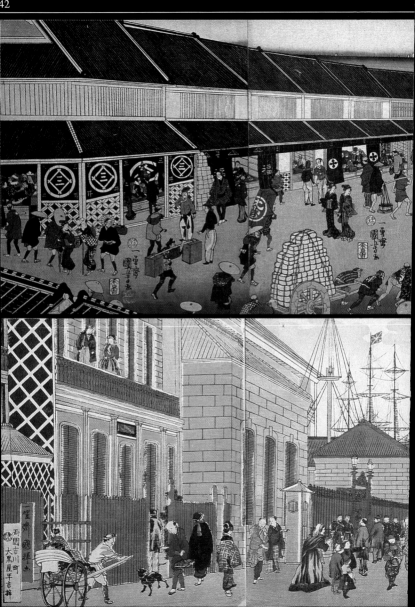

Vivre à Yokohama

Parmi les cinq
ports devant être
accessibles au
commerce selon
les traités avec les pays
occidentaux, seuls
Yokohama, Nagasaki
et Hakodate furent
ouverts le 1er juillet
1859. Kobe le fut
en 1868 et Niigata
en 1869. Yokohama
n'était auparavant
qu'un petit village
de pêcheurs peu
fréquenté. En dépit
des protestations des
Occidentaux contre le
choix de ce site, à
la place de Kanagawa
sur la route du
Tôkaidô, le Bakufu
construisit rapidement
ce port. Le commerce y
était autorisé, et le
petit village se changea
vite en ville animée où
se côtoyaient
marchands japonais,
chinois et occidentaux.
Cependant, au début,
les marchands japonais
furent réticents
à s'aventurer dans cette
nouvelle entreprise
avec des étrangers.
Ce fut seulement sous
la forte insistance du
Bakufu que s'y
installèrent
des maisons comme
Mitsui qu'on remarque
en haut à l'extrême
gauche dans la rue
principale, Hôncho-
dôri. La légation
française que l'on voit
en bas fut installée
là en 1866.

La maison Gankirô

Après la disparition des derniers grands artistes de l'estampe de l'Ukiyo-e, tels que Hokusai ou Hiroshige, les dessinateurs de l'ultime période d'Edo se passionnèrent pour de nouveaux sujets, mettant en scène des aspects de la vie à Yokohama. Ce nouveau genre, documentaire et journalistique, appelé Yokohama-e, eut un grand succès et une brève existence. La vie des Occidentaux constituait un sujet très prisé, soit sous forme de portraits, soit sous forme de groupes se distrayant. Les scènes du quartier des «maisons de plaisir» (ici la maison Gankirô) inspirèrent de nombreuses gravures.

Le royaume du commerce

Dès l'ouverture, le commerce international de Yokohama se développa considérablement; 80 % de celui-ci se faisait avec l'Angleterre. Parmi les articles exportés, la soie grège tenait la place la plus importante, suivie par le thé. A part les bateaux et les armes, les cotonnades venaient en tête des produits importés, devant les lainages. Le port était situé entre le quartier des étrangers et celui des Japonais, séparés par la douane. Comme le montre l'estampe d'Hiroshige III, il y avait deux quais, l'un pour le commerce international (à l'est, à gauche), l'autre pour le commerce intérieur (à droite). L'estampe en polyptique à cinq panneaux (en bas), par une composition vigoureuse, dépeint bien l'animation du port où des bateaux de cinq pays chargent et déchargent des ballots. L'auteur de cette gravure, Sadahide, artiste représentatif du Yokohama-e, la réalisa en consultant des illustrations de revues occidentales.

Pour l'un et pour l'autre, ce séjour japonais constitue un tournant. Les conditions historiques particulières ont certes favorisé cette «révélation», mais l'originalité de leur personnalité et de leur formation n'y sont pas étrangères.

Les Régamey, une famille d'artistes

La vie de Félix Régamey, né à Paris le 7 août 1844, est profondément marquée, ou plutôt naturellement déterminée, par sa famille, pourrait-on dire. Son père, Louis-Pierre Guillaume Régamey, est né à Genève de parents français. Après avoir travaillé à Besançon dans une imprimerie où P. G. Proud'hon était correcteur, il est venu s'installer à Paris. Il y perfectionne l'art de la lithographie, plus particulièrement de la chromolithographie, technique qu'il applique à la cartographie et à la reproduction de miniatures médiévales. L'aîné des enfants, Guillaume, participe à plusieurs salons (dont le premier Salon des refusés de 1859) et dessine aussi pour l'*Illustrated London News* des scènes de la guerre de 1870. Malgré une mort prématurée en 1875, il a acquis une certaine réputation comme peintre de sujets militaires. Le frère cadet de Félix, Frédéric, peintre également, graveur à l'eau-forte et chromolithographe, se fait connaître comme dessinateur sportif (spécialiste d'escrime) et fonde, avec Richard Lesclide, une revue hebdomadaire, *Paris à l'eau-forte*, qui paraît trois ans.

A u cours d'un séjour à Londres, Félix Régamey rencontre Verlaine et Rimbaud; il fait ce croquis des deux poètes.

Portrait d'un enthousiaste

D'abord élève de son père, Félix apprend le dessin et la peinture à l'atelier de Lecoq de Boisbaudran, comme ses frères. A la suite de son maître, il enseigne, à vingt-trois ans, à l'Ecole nationale de dessin (future école des Arts décoratifs) puis à l'Ecole spéciale d'architecture. Vivant parmi «une jeunesse exubérante, toute vibrante de foi artistique et aussi de passions politiques et patriotiques», probablement pour la cause républicaine, il s'enthousiasme pour l'art sous toutes ses formes et particulièrement pour l'enseignement du dessin.

Dans les premiers temps, il œuvre surtout comme caricaturiste et illustrateur, en donnant des dessins aux journaux illustrés d'alors, *Le Journal amusant*, *La Vie parisienne*, *L'Illustration* ou *Le Monde illustré*. Il est même rapporté qu'il fonde son propre journal, *Le Salut public* – sans doute très éphémère. Qualifié par Philippe Burty de «rêveur épris de logique», ses dessins, gouaches ou peintures, dont maints portraits de personnalités de l'époque (Victor Hugo, Sully-Prudhomme, Pasteur ou Jules Ferry), sont nombreux. Après la guerre franco-allemande de 1870, il part pour Londres où il devient le collaborateur artistique des principaux journaux illustrés d'Angleterre et d'Amérique, notamment de l'*Illustrated London News.* En 1874, l'année suivant son arrivée à New York, il est chargé de réorganiser les cours de l'académie de dessin de Chicago.

Régamey avait convenu d'accompagner Guimet dans sa visite des Etats-Unis, puis dans son tour du monde et de lui servir de dessinateur. Il peignit donc pour lui, qui s'intéressait à diverses sectes telles les «communistes» d'Oneida (New York), des compositions à sujet américain comme ces scènes de baptêmes de Noirs et d'Indiens.

La découverte de l'art japonais, notamment à partir de l'Exposition universelle de Paris en 1867 et de l'afflux d'objets japonais, déclencha un mouvement artistique, appelé japonisme. Il toucha de nombreux artistes à la recherche d'une nouvelle voie créatrice et l'impact de cet art, soit dans les motifs, soit dans les techniques (composition, couleurs, contours, etc.) fut considérable. James Tissot fut l'élève, comme Fantin-Latour, Whistler ou Rodin, de Lecoq de Boisbaudran, le maître de Régamey. Il donna des leçons de dessin à Tokugawa Akitake (1853-1910) qui fut envoyé à Paris à l'occasion de l'Exposition universelle de 1867 et qui y resta pour des études. Tissot put ainsi exécuter ce portrait du frère du dernier shogoun en costume traditionnel devant une tenture aux armes des Tokugawa (à gauche). L'aquarelle de Gustave Moreau, copie d'une page d'album japonais, représentant un acteur de théâtre kabuki, témoigne de l'intérêt général porté aux œuvres japonaises.

D'après ses souvenirs, le premier contact de Régamey avec le Japon remonte loin, avant que le mouvement du japonisme ne se répande dans le milieu artistique parisien, et avant même l'Exposition universelle de Paris de 1867 où, pour la première fois, le Japon exposa. Dans *Le Japon pratique*, Régamey écrit, en 1891 : «Je retrouvai très exactement les paysages et les gens que les premiers albums parvenus en France m'avaient révélés en 1863.» Ce précoce attrait pour la culture nippone est attesté plus tard, par l'exécution, probablement à partir de photos ou d'estampes, d'illustrations sur des sujets japonais publiés dans l'*Illustrated London News* en 1872. Il se remarque encore par les dessins accompagnant l'article de l'un des promoteurs du japonisme, Philippe Burty, intitulé *Japonisme, histoire de la poétesse Komati*, paru dans le volume II de *L'Art* de 1875. Les deux œuvres ont trait à la poétesse de l'antiquité japonaise Ono-no Komachi, symbole de la beauté éphémère.

Pour illustrer un article de Philippe Burty, Régamey réalisa en 1875 deux chromolithographies consacrées à Ono-no Komachi, l'une d'après une œuvre de Hokusai (ci-dessous), l'autre d'après une estampe de Hiroshige.

Aux Etats-Unis cependant, Régamey a eu l'opportunité, à l'Exposition universelle de Philadelphie de 1876, d'éprouver une profonde sensation au contact des envois japonais. C'est là

qu'il est rejoint par Emile Guimet, alors en route vers l'Extrême-Orient, qui l'avait enrôlé comme dessinateur.

Un industriel qui préfère la musique

Par quel cheminement Emile Etienne Guimet, riche industriel lyonnais, se trouve-t-il chargé par le ministre de l'Instruction publique d'une mission en Extrême-Orient pour y enquêter sur les religions ? Il est né à Lyon le 2 juin 1836, d'un père savant chimiste et d'une mère peintre et en a hérité un esprit à la fois scientifique et artistique. Son père, Jean-Baptiste Guimet, polytechnicien, s'est fait connaître comme inventeur d'un bleu d'outremer artificiel. Pour le produire, il a fondé une usine à Fleurieu-sur-Saône, dans la banlieue de Lyon. Cette entreprise prospère fort bien : ce bleu artificiel peut remplacer le bleu obtenu par le lapis-lazuli à un coût bien moindre et est utilisé pour la blanchisserie, et spécialement comme azurant de la pâte à papier. Cette découverte assure donc une belle fortune à la famille. Sa mère, née Rosalie Bidauld, élevée dans une famille de peintres du Midi, peint elle-même des sujets historiques, thèmes qui requièrent une bonne culture classique – et biblique : une de ses compositions décorait une église.

L'éducation d'Emile Guimet est peu connue, mais la riche ambiance culturelle du milieu familial suffit à expliquer son goût pour l'art et la science. Dans sa jeunesse, c'est surtout l'influence artistique qui prévalut ; il apprend les techniques de la céramique, de la peinture et de la composition musicale.

Lorsqu'il succède à son père à la tête de l'usine en 1860, il n'a

Le 12 septembre 1872, l'empereur Meiji inaugura le premier train japonais. Ce dessin de Régamey, paru dans l'*Illustrated London News*, est antérieur à son voyage au Japon.

La famille Guimet était originaire d'une vieille souche bourgeoise de Voiron (Isère). Jean, père de Jean-Baptiste, était lui-même ingénieur et auteur d'un projet pour le port de la Joliette à Marseille. Jean-Baptiste (1795-1871) fut vingt ans membre du conseil municipal de Lyon et administrateur de l'école La Martinière. Sa femme Rosalie, dite Zélie, était la fille du peintre Jean-Pierre-Xavier Bidault (1745-1813).

pas, dit-il, «un grand enthousiasme pour cette nouvelle situation», tant il est préoccupé de musique. La liste de ses compositions est assez longue : chansons, musiques vocales pour duo, trio ou quatuor, musiques instrumentales, oratorios, musique pour ballet et même un grand opéra en cinq actes, sur des paroles d'Ernest d'Hervilly, *Taï-Tsoung*, qui a pour cadre la Chine du VII\ siècle.

«Alors se dressa devant moi cette formidable histoire de l'Egypte, avec ses croyances compliquées, sa religion intense, sa philosophie grandiose, ses superstitions mesquines, sa morale pure»

Ses voyages à l'étranger, très fréquents, ont tenu une place essentielle dans son évolution personnelle, et lui ont ouvert l'esprit. Ses relations publiées, pour s'en tenir à elles seules, témoignent de l'étendue des régions visitées avant son tour du monde. Son voyage en Egypte est particulièrement déterminant. Il le dit lui-même : «En 1865, j'entreprenais, comme tout le monde, un voyage de touriste en Egypte. La vue des monuments, les visites au musée de Boulaq, la lecture du merveilleux catalogue rédigé par Mariette,

E mile Guimet (ci-contre) portait un grand intérêt à la musique populaire et était convaincu de l'importance morale de la chorale. Mû par des préoccupations sociales, il créa un orphéon et une fanfare qu'il dirigeait lui-même, vêtu à la manière des ouvriers, comme le montre ce tableau de N. Sicard.

attrayant même pour les profanes, attachant comme un roman, les petits objets antiques qu'on se croit obligé de rapporter, tout cela avait ouvert mon esprit aux choses des temps passés et particulièrement aux croyances encombrantes dont les symboles se déroulent en Egypte sur des kilomètres de murailles.» C'est l'ouverture à l'archéologie, à la philosophie et aux religions anciennes. Naturellement, une collection d'objets s'ensuit : «Je me mis à bibeloter chez les marchands», ajoute-t-il. Ses moyens financiers le permettant, il achète en quantité, par collections entières, de tout : objets, livres, y compris des momies. Toutefois, derrière ce qu'il qualifie lui-même de «frénésie d'acquisition» réside l'ardent désir de connaître la signification de ces objets possédés : et l'amateur se plonge dans les traités d'égyptologie. Bientôt les civilisations gréco-latine et égyptienne ne lui suffisent plus; il veut les comparer avec toutes les autres civilisations anciennes, l'Inde, la Chaldée, la Chine.

Touriste parmi tant d'autres, Guimet découvrit en Egypte des sites et des antiquités qui le fascinèrent...

Sa première femme, Lucie Saulaville, mourut l'année de son mariage (1868). Il épousa en 1877 la sœur de celle-ci, femme passionnée de chasse et maître d'équipage.

Une singulière idée : chercher dans les religions lointaines des réponses aux problèmes contemporains

La curiosité intellectuelle de Guimet ne se limite pas à la seule archéologie; l'homme d'action se combine avec le penseur. Ses préoccupations pour les problèmes sociaux sont à la source de son intérêt pour le monde antique. Les fondateurs de religion n'ont-ils pas tous proposé des solutions sociales? Guimet est persuadé que ses recherches religieuses

peuvent être profitables au bien-être des ouvriers. Idée singulière d'un patron patriarcal pour résoudre la question sociale, au siècle de la révolution industrielle. «Il y avait donc, dans mon ardeur à rechercher les documents écrits ou figurés, explique Guimet, une sorte de surexcitation qui venait du désir d'atteindre un but immédiat, tangible, de l'espérance que ces travaux pouvaient semer un peu de bonheur.» Cette quête n'est pas non plus dénuée «d'ardeur esthétique» et les objets lui dévoilent finalement aussi «le bien, le vrai et le beau».

T émoignant à la fois d'un goût prononcé pour le théâtre (il en fit construire un à Lyon) et pour les voyages, Emile Guimet aimait le déguisement. Un séjour (1869) en Afrique du Nord qui donna lieu à un recueil de publications, *Aquarelles africaines*, fut peut-être l'occasion de ce costume.

L'évolution intellectuelle de Guimet, après son voyage en Egypte, se concrétise par sa participation à de grandes réunions scientifiques; il assiste aux congrès internationaux d'orientalisme ou d'anthropologie et d'archéologie de Paris (1873), de Levallois (1874) et de Stockholm (1874). Son adhésion à la Société d'études japonaises, chinoises, tartares et indochinoises, fondée par Léon de Rosny et issue du premier Congrès international des orientalistes (Paris, 1873), est significative puisqu'elle constitue, semble-t-il, la première manifestation de ses rapports avec le Japon. Il ressort de sa présence à ces réunions et de ses écrits qu'Emile Guimet s'intéresse à de larges domaines de l'archéologie, de l'anthropologie ou de l'ethnographie, sans se confiner à la seule égyptologie.

Pour un homme d'action, il est tout naturel de penser que la compréhension véritable des religions anciennes et

La salle des cours à la Bib...

lointaines ne passe pas par la seule lecture des livres.
«Pour bien saisir la doctrine de Confucius, proclama-t-il, il est bon de se donner un esprit de lettré chinois;
pour comprendre le Bouddha, il faut se faire une âme bouddhique.» Après un tel constat, le voyage en Extrême-Orient lui est devenu indispensable.

Tard venues par rapport aux études indiennes et chinoises, les études japonaises se développèrent rapidement sous l'impulsion de Léon de Rosny (1837-1914), qui assura en 1863 le premier cours de langue à la Bibliothèque impériale. Il fut le premier professeur de japonais à l'Ecole des langues orientales (1868) et organisa le premier Congrès international des orientalistes.

ÉCOLE IMPÉRIALE ET SPÉCIALE DES LANGUES ORIENTALES

PRÈS LA BIBLIOTHÈQUE IMPÉRIALE

COURS PUBLIC ET GRATUIT

DE JAPONAIS

M. **LÉON DE ROSNY** ouvrira ce Cours le Mardi 5 mai prochain, à deux heures précises, et le continuera les Mardis et Samedis à la même heure.

ue impériale.

« **J**e t'écris du pays des rêves... C'est un enchantement perpétuel – le nu dans toute sa splendeur – le costume aussi beau que l'antique avec la variété de coupe et de couleur en plus. Un paysage merveilleux, enfin tout... L'âge d'or, ni plus ni moins. »

Félix Régamey,
Lettre à son frère, 6 septembre 1876

CHAPITRE III
IMPRESSIONS DE VOYAGE

Voyager à l'intérieur du Japon en 1876 nécessitait parfois le recours au palanquin mais aussi à des interprètes. Ceux-ci, Kondô et Utahara, posent ici en compagnie de Guimet (assis) et de Régamey debout), en socques *(geta)* et casque colonial. Un cuisinier (à droite de Régamey), apte à leur éviter les mets locaux, les accompagne.

Itinéraire de deux touristes

Arrivés à la fin du mois d'août de l'année 1876,
Régamey et Guimet descendent au Grand Hôtel
de Yokohama,visitent cette ville nouvelle pour
étrangers, puis profitent de la première ligne de
chemin de fer inaugurée quatre ans auparavant
pour faire des visites à Tokyo. Un Japonais dont ils
ont fait la connaissance sur le bateau leur fait
découvrir la capitale et les initie à la cuisine locale.
De Yokohama, à l'aide du moyen de transport
nouvellement introduit, le pousse-pousse, ils font
une excursion de deux jours à Kamakura, siège du
pouvoir militaire au Moyen Age.

Comme l'indique un contrat de louage de pousse-
pousse, ils entreprennent le 10 septembre un voyage
d'une semaine à l'intérieur du pays pour se rendre à la
célèbre nécropole des shogouns Tokugawa, Nikkô.
A leur retour, ils demeurent une quinzaine de jours
à Tokyo où ils résident à l'hôtel Ninohashi Seiyôken.
Durant ce séjour, ils visitent le temple d'Asakusa
(les 22, 24 et 27), essuient le refus (daté du 27) de la
maison impériale à la requête de Régamey qui
souhaitait exécuter le portrait de l'empereur et,
le 28, se font livrer par le peintre Kyôsai les premières
commandes de Guimet.

Ils rejoignent alors Yokohama et se mettent en
route en direction de Kyoto par la vieille et célèbre
voie de circulation, le Tôkaidô. C'est encore alors
plus un grand chemin qu'une route : le journal de
Régamey témoigne des deux semaines nécessaires
pour ce trajet, à cheval, en pousse-pousse ou à pied,
franchissant les rivières sur des bacs. Après un détour
pour se rendre au grand sanctuaire shintô à Ise, ils

L e Ninohashi
Seiyôken, l'hôtel
où Guimet et Régamey
logèrent à Tokyo, est
un lieu historique.
C'est là que se
réunissait, sous la
présidence de Mori
Arinori, l'association
Meirokusha (fondée
la sixième année de
Meiji), groupement
d'intellectuels pour
le progrès des sciences
et de la morale.

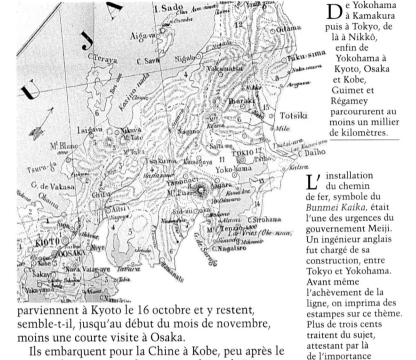

De Yokohama à Kamakura puis à Tokyo, de là à Nikkô, enfin de Yokohama à Kyoto, Osaka et Kobe, Guimet et Régamey parcoururent au moins un millier de kilomètres.

L'installation du chemin de fer, symbole du *Bunmei Kaika,* était l'une des urgences du gouvernement Meiji. Un ingénieur anglais fut chargé de sa construction, entre Tokyo et Yokohama. Avant même l'achèvement de la ligne, on imprima des estampes sur ce thème. Plus de trois cents traitent du sujet, attestant par là de l'importance de l'événement.

parviennent à Kyoto le 16 octobre et y restent, semble-t-il, jusqu'au début du mois de novembre, moins une courte visite à Osaka.

Ils embarquent pour la Chine à Kobe, peu après le 3 novembre à en croire la correspondance de Régamey. Le bateau les mène à Shanghai et, après avoir visité la

Chine puis l'Inde, ils regagnent la France, vraisemblablement par le canal de Suez. Leur retour se fait probablement en mars 1877, puisque le rapport d'Emile Guimet au ministre de l'Instruction publique est daté du 15 avril de cette année.

«On se réveille d'un Japon qu'on croyait conventionnel, pour entrer, marcher, agir dans un Japon vrai, incontestable, qui vous accueille en ami et ne diffère en rien de celui qu'on voyait en songe»

Déjà, sur le bateau, les serviteurs vêtus à la japonaise ont impressionné Guimet par leur beauté et leur dignité qui contrastent avec l'allure de leur jeune maître, de retour des Etats-Unis, accoutré à l'occidentale : «Mais quelle est cette vision antique qui apparaît sur le pont du bateau? Un groupe de jeunes Romains s'avance avec dignité; ils sont vêtus de la longue robe latine, ils ont les cheveux coupés à la Titus [...]; ce sont bien les fils de Brutus que nous voyons venir à nous.» Références insolites pour évoquer une réalité japonaise à propos de laquelle Guimet n'a justement pas de références :

Le Japon de «carte postale», celui dont rêvaient Guimet et Régamey, avec mousmés («jeunes filles» en japonais) dans un décor d'iris et de chaumières, était servi aux touristes dans des photographies faites à leur intention, comme celle ci-dessus du parc Horikiri Shôbuen.

Régamey dessine la «couleur locale» : les jeunes filles souvent chargées d'un enfant sur le dos, les Japonais «qui se courbent et se prosternent à tout propos»…

pour décrire l'étonnement et les sensations que ce monde exotique lui fait éprouver, il ne trouve autre chose que la comparaison avec l'antiquité occidentale. La distance spatiale et culturelle est ainsi remplacée par la distance temporelle.

Autre référence constante et importante, qui opère comme un mécanisme de fascination : l'image rêvée que ces voyageurs s'étaient créée à partir d'objets d'art avant leur voyage – image révélatrice de l'attrait que le pays du Soleil levant exerce alors sur l'Occident : «C'est bien le pays que j'avais rêvé et au-delà, s'exclame Régamey, – as-tu jamais vu une réalité surpassant le rêve? Non, n'est-ce pas! Hé bien, j'ai trouvé» (lettre à Richard Lesclide).

Dès Yokohama, aucun détail de la vie quotidienne n'échappe à la curiosité aiguë des voyageurs. Une réflexion sur une scène à laquelle ils assistent le lendemain de leur arrivée est significative de leur attitude générale face à une civilisation qui n'est pas la leur.

Ils sont témoins des ablutions d'une famille entière, mère et jeunes filles comprises, qui tous et toutes se baignent nus dans un jardin largement ouvert aux regards des passants. Au lieu de condamner, comme nombre d'Occidentaux et après eux les Autorités, cette coutume si étrange pour les Japonais d'aujourd'hui, Guimet y décèle, non pas de la

❝ Ces hommes [les voituriers] sont extraordinaires, vêtus d'un large chapeau et d'une ceinture caleçon, pieds nus – quelquefois avec des tatouages qui leur tiennent tout le dos – véritables œuvres d'art de couleurs diverses qu'on a le temps de contempler à loisir.❞

Régamey

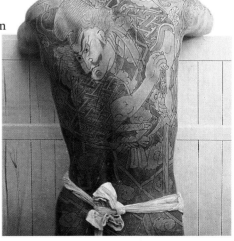

dépravation, mais la marque de l'innocence. Cette attitude est caractéristique des deux voyageurs et se distingue de l'opinion commune ; ils se refusent à appliquer un jugement de valeur issu de leur propre culture même en présence de comportements étrangers à leurs habitudes. En se plongeant complètement dans la particularité japonaise, ils tentent d'en saisir le sens profond.

Un autre aspect de la vie quotidienne auquel sont confrontés immédiatement les deux hommes, comme tous les touristes de l'époque, provient d'un moyen de locomotion inhabituel mais indispensable, le pousse-pousse ou *jinrikisha* en japonais (que Régamey, dans une lettre, appelle joliment «chaise à coureur»). Il faut l'utiliser abondamment pour aller à Kamakura, à Nikkô, à Kyoto. Guimet se sent au début quelque peu gêné d'être tiré par un être humain, puis trouve cette forme de transport assez agréable : sa conscience est soulagée par la gaieté des coureurs, leur situation économique, la relative commodité du système – d'autant plus qu'une expérience de déplacement dans un «cango» *(kago)*, chaise à porteurs traditionnelle, n'a pas laissé aux voyageurs un très agréable souvenir. «C'est la plus horrible façon d'aller qui soit au monde», juge Régamey *(Journal, le 4 octobre)*.

Les tireurs de ces voiturettes deviennent un sujet d'étude qui permet bien des notations : leur façon de se nourrir, d'utiliser le *tenugui* (la petite serviette aux mille et un usages) ou bien encore la façon de fumer dans une pipe à fourneau minuscule : «Les Japonais sont des délicats qui savent se réserver le plaisir des choses en ne se rassasiant jamais.»

A u palanquin *(kago, ci-dessus)* commence à se substituer le *jinrikisha* : «C'est, en deux mots, une brouette à deux roues ; le cheval, c'est un Japonais qui s'appuie sur le brancard» (Savatier). A l'aide de ce moyen de transport croqué par Régamey (à gauche), celui-ci et Guimet se rendent de Yokohama à Kamakura en compagnie de Wirgman. Ils y découvrent un Japon non encore touché par l'occidentalisation, à preuve cette photo de la rue de Kamakura conduisant au temple dit «Hase-Kannon» à cause de la grande statue de Kannon à onze têtes.

Le chef d'entreprise préoccupé de problèmes sociaux ignore toute question économique et sociale et se cantonne dans une «vision d'artiste»

Ces premières impressions, d'une certaine façon, résument pour Guimet la vie japonaise. Appréciant dans l'île d'Enoshima une simple «halte à thé» d'où la vue est pittoresque et où la servante lui rappelle les primitifs italiens, il s'exclame lyriquement : «Comme les Japonais sont amoureux de la nature! Comme ils savent bien profiter de ses beautés! Comme ils savent s'organiser une vie commode, tranquille, heureuse, sans grands

Par sa composition hardie, Régamey, dans cette lithographie *(Jeune Fille de la halte à thé devant la mer, île d'Enoshima)*, ne cherche-t-il pas à rivaliser avec les portraits féminins des estampes japonaises?

Le mélange des habits traditionnels et des nouvelles modes occidentales (illustré dans l'estampe de droite) fait écho à la complainte de Régamey : «Le vieux Japon s'écroule, la civilisation marche à grands pas – comme on dit – les lampes à pétrole, les gibus, et les parapluies sévissent assez généralement.»

besoins, sans luttes, pleines de douces impressions et de sage bien-être; ils laissent sa place à la pensée et son rôle à la matière, aimant l'art et le beau, apprécient l'étude et le travail» *(Promenades japonaises).* Et le rêveur, quand il pense aux épisodes sanglants qui accompagnèrent le renversement du régime shogounal, n'arrive pas à croire que ce peuple si doux et si calme ait été bouleversé par des guerres civiles et des événements tragiques.

Il est vrai que les scènes de la vie quotidienne, au début de l'époque Meiji, doivent encore par bien des aspects garder un cachet conforme aux fruits de l'imagination des deux voyageurs. Toutefois, la réalité ne concorde pas tout à fait avec cette vision idyllique; la période est loin d'être tranquille et les paysans, durement touchés par les transformations économiques, se révoltent un peu partout.

Le prix du modernisme

Guimet et Régamey ne peuvent pas ne pas remarquer les progrès rapides de l'occidentalisation. Considérant la passation complète entre les mains japonaises de l'arsenal de Yokosuka, jusqu'alors dirigé par le Français Léonce Verny, Guimet, bourgeois ami du

Alors que les voituriers, croqués par Régamey pendant une halte sur la route de Nikkô, rappellent le Japon ancien, le *policeman* affublé d'un uniforme occidental illustre les temps nouveaux.

progrès, a quelques appréhensions et craint que le Japon ne se referme trop tôt sur lui-même en n'adoptant que les apparences du «mouvement progressiste européen», en s'arrêtant «trop tôt dans la période d'initiation».

L'occidentalisation risquerait de se réduire à des objets-fétiches : «La photographie, la lampe à pétrole et le chapeau melon, tels sont pour les Japonais les spécimens les plus flatteurs de la civilisation européenne.» Toutefois, cette attitude heurte le Japon de leur imaginaire, qui voudrait résister aux mutations. Régamey écrit à sa mère : «J'assiste à la fin de ce monde merveilleux, artistique, poétique, plein de douceur qui s'en va sombrer dans le sombre fatras de la civilisation occidentale.» Il dessine dans sa lettre un Japonais en chapeau gibus tout en précisant : «C'est à faire dresser les cheveux sur la tête du plus chauve des rapins.» Quant à Guimet, il affirme : «Certes ils n'avaient encore ni usine à vapeur, ni école polytechnique mais que d'excellentes choses ils avaient, auxquelles ils renoncent sans raisons.» Cette reconnaissance de valeurs propres à la civilisation japonaise est en fait singulière, comparée à d'autres attitudes contemporaines.

Le monde théâtral permet aux voyageurs de pénétrer plus profondément dans la vie populaire

Au théâtre Minato-za de Yokohama, auquel les résidents occidentaux ne s'intéressent point, Régamey et Guimet assistent à une pièce adaptée de Chikamatsu, *Shigenoi no*

« L a salle [de théâtre] est éclairée au gaz et la chaleur est intense», note Régamey. Au bas d'une lettre à son frère, il dessine cette caricature d'un Japonais en gibus et bottines, une mode à l'occidentale qui le fait frémir.

kowakare, «Shigenoi séparée de l'enfant», dont l'intrigue dramatique touche aux sentiments maternels et filiaux pris dans les obligations sociales.

Tout les intéresse, depuis la disposition de la salle (dont les illustrations de Régamey restituent l'atmosphère) jusqu'aux coulisses où ils se rendent : la musique du *shamisen*, sorte de cithare, et le récitatif accompagnant les acteurs évoquent pour Guimet le «chœur antique». Mais le musicien ne goûte guère le chant savant. Pour lui, la musique est «fort désagréable pour nos oreilles européennes. [...] Les chanteurs chantent faux, les musiciens jouent faux». Il ajoute néanmoins : «Si l'on considère que nous prenons de plus en plus goût des dissonances, nous sommes sans doute en progrès et le temps est proche où nous serons mûrs pour la musique japonaise.»

" Les voyageurs qui ont écrit sur le Japon ont parlé assez mal du théâtre japonais. Par le peu que j'ai pu voir, en traversant cet intéressant pays, j'ai trouvé au contraire qu'il y avait au Japon une littérature dramatique très variée, et qui présente à l'auditeur toutes les qualités tragiques ou comiques que nous demandons à nos pièces de théâtre.**"**
Emile Guimet,
Le Théâtre au Japon,
1884

«Le Japon artistique»

Guimet et Régamey arrivaient avec maintes références artistiques dans leur imaginaire et ils constatent avec émerveillement que la sensibilité artistique gouverne la vie japonaise.

L'intérieur des maisons, dont les cloisons sont enlevées à cause de la chaleur, est observable par les passants et cela ne laisse pas de les étonner. «Comme fond de tableau, on aperçoit toujours une cour plantée d'arbres, un gracieux jardin pittoresquement disposé et habilement éclairé. Du reste, tous les détails nous étonnent et nous charment; rien n'est laissé au hasard dans la disposition des objets; tout fait tableau, l'art préside à tout, et un art plein de finesse, de sobriété et de bon goût.» Régamey ramène précieusement des dessins faits par une vendeuse ou une servante d'hôtel et les publie pour montrer qu'«au Japon tout le monde dessine». Pourtant, un fait important et symbolique coïncide avec l'arrivée des voyageurs. Régamey signale à sa mère le 28 septembre 1876 que «trois professeurs italiens de dessin et de peinture ont été demandés à l'Italie, ils viennent d'arriver. [...] Ça c'est le dernier coup». Il s'agirait d'Antonio Fontanesi, de Vincenzo Ragusa et de Giovanni Vincenzo Capelleti, trois professeurs

Les maisons japonaises, dépourvues de murs porteurs, sont constituées d'une ossature de bois reposant sur des fondations rudimentaires et soutenant le toit. La demeure est un espace sans meuble, clos, ouvert ou compartimenté, selon les besoins, par des cloisons mobiles de papier.

" Parmi les images qui se gravent dans la mémoire du touriste au Japon, celle des jardins reste une des plus attachantes. Leur grâce étrange est faite d'éléments nouveaux pour lui : collines artificielles, étangs où émergent des îlots reliés à la rive par de petits points. "
A. Hauchecorne

italiens de peinture, de sculpture et de dessin d'architecture invités par le gouvernement japonais à la nouvelle école d'art attachée à l'école des Travaux publics, Kôbu bijutsu gakkô. Ils vont jouer un rôle décisif dans l'introduction des techniques occidentales dans l'art japonais.

Durant cette période, face à l'engouement pour les modes occidentales, l'art traditionnel a de la peine à maintenir son identité. Guimet et Régamey visitent les potiers à Kyoto, et Guimet se serait procuré nombre de leurs œuvres. Il assiste même à la fabrication d'un bol par Rokubei, potier connu. Il acquiert également, dans des circonstances restées mystérieuses, «trois cents peintures religieuses, six cents statues divines» dont il parle dans son rapport. En effet, Régamey note, à Kyoto : «Guimet est très content – il fait une collection énorme de faïences et une plus énorme encore de Bons Dieux cocasses.»

Régamey se livre à un «duel» au pinceau avec un artiste japonais

Grâce aux *Promenades japonaises*, l'épisode artistique le plus important du voyage est bien connu : la rencontre avec un peintre du nom de Kawanabe Kyôsai (1831-1889).

Tokyo, 28 septembre : «L'événement d'hier est la découverte que j'ai faite d'un très excellent artiste japonais – obscur et peu riche –, écrit Régamey à sa mère. Je lui ai donné des couleurs que j'avais en double – ça l'a mis dans le ravissement. Emile lui a fait des commandes. Son nom dont on parlera dès que nous serons de retour en Europe est Kio say.» L'originalité des œuvres, qu'ils ont vues à Yokohama et à Tokyo, a attiré leur attention et ils finissent par rendre visite au peintre. Là, les deux artistes se livrent à une sorte de compétition où chacun d'eux fait le portrait de l'autre.

Kyôsai a appris le style de l'école de l'Ukiyo-e auprès du dessinateur d'estampes Utagawa Kuniyoshi, puis les techniques de l'école officielle dite de Kanô avec, en particulier, Kanô Tôhaku; ayant réussi à assimiler les divers styles et techniques, tant chinois que japonais, il produit avec verve et talent peintures, estampes et illustrations pour livres et journaux.

Comme l'a prévu Régamey, on parlera de Kyôsai à leur retour en France. De fait, ce qu'ils en disent dans leurs *Promenades japonaises* constitue le premier témoignage imprimé au sujet de cet artiste – quoique les renseignements ne soient pas toujours entièrement exacts. Guimet reçoit et achète sur place plusieurs œuvres du peintre et lui en commande d'autres, se constituant par là une collection assez riche qui permettra de le faire connaître. La renommée de Kyôsai en Occident s'accroîtra encore grâce à un Anglais : quelques années plus tard, un architecte anglais, Josiah Conder, invité au Japon en 1877, devient le disciple du peintre japonais et s'efforcera par la suite de le faire reconnaître.

Félix Régamey (ci-dessous) est ici dessiné par Kyôsai (date et signature ci-contre) au moment où il exécute le portrait de celui-ci. A gauche, un immortel taoïste *(Sennin)*, peint par Kyôsai, reflète, par la force expressive des lignes tracées à l'encre de Chine, l'indépendance d'esprit de l'artiste. Face aux bouleversements politiques et à la confusion sociale de son époque, il réagit par les caricatures qui visaient soit le nouveau gouvernement, soit la doctrine officielle de la modernisation. Cette attitude, si peu conformiste et révérencieuse, lui valut d'être plusieurs fois emprisonné.

Un illustrateur anglais transpose à Yokohama le journalisme satirique anglo-saxon

Kyôsai s'était d'ailleurs inspiré d'un exemple anglais pour créer en 1874 un journal satirique illustré, l'*Eshibun Nipponchi* – journal éphémère qui ne compta que deux numéros, mais le premier de son genre au Japon. L'idée lui en avait été inspirée par une publication satirique, le *Japan Punch*, que Charles Wirgman (1832-1891) avait fondée et dirigée à Yokohama.

Cet Anglais, collaborateur à l'*Illustrated London News*, séjourne au Japon depuis 1861 quand E. Guimet et F. Régamey ont la chance de voyager avec lui. Il vivra dans le pays jusqu'à sa mort et y est connu comme l'initiateur de la peinture occidentale, pour avoir en effet formé les premiers artistes importants de ce type de peinture, tels que Takahashi Yuichi ou Goseda Yoshimatsu.

Enquête sur les religions

Et la mission scientifique sur les religions du Japon, but principal du voyage? «Succès complet, autant qu'il est permis d'en juger», rapporte Régamey; ils ont vu «jusques et y compris les mystères défendus aux communs des mortels». Les temples bouddhiques ont accueilli la mission «avec un grand éclat et une pompe tout à fait princière», sans éluder les renseignements demandés, d'autant plus qu'ils craignaient les réactions de l'Autorité.

En fait, le bouddhisme vient de subir une grande répression à la faveur de la séparation, proclamée par le gouvernement, du shintoïsme et du bouddhisme, et de la désignation du premier comme religion de l'Etat. Plusieurs temples bouddhiques ont été supprimés et leurs trésors détruits au point que la célèbre pagode séculaire du Kôfuku-ji à Nara a failli être brûlée. Guimet explique dans son rapport au ministre que le gouvernement japonais entreprend de grandes réformes religieuses et que les circonstances de sa mission

Fondé en juillet 1862 à Yokohama par Charles Wirgman, le *Japan Punch*, revue de caricatures d'actualité, était destiné aux habitants des quartiers étrangers et parut jusqu'en mars 1887. Il acquit aussi une grande popularité chez les Japonais, au point que le mot *ponchi-e*, dérivé de *punch*, servit à désigner la caricature en remplacement des mots traditionnels *Toba-e*, *Otsu-e*, etc. Wirgman (ci-contre, *Autoportrait de l'artiste*) fut témoin des événements de l'époque – assauts de la légation anglaise par des partisans antiétrangers, attaque anglaise contre Satsuma, intervention occidentale contre Shimonoseki – et en a laissé des images précieuses.

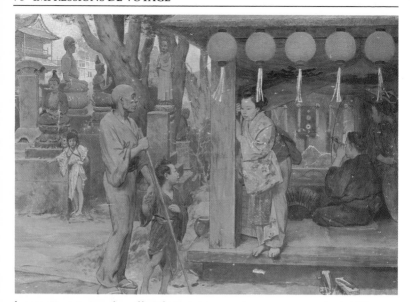

furent opportunes; les officiels japonais y ont vu une excellente occasion «de connaître à fond les dogmes bouddhiques et de rectifier d'une manière plus complète les croyances shintoïstes». Seules ces circonstances ont permis à Guimet de constituer une importante collection d'objets rituels.

En route, il visite tous les temples et sanctuaires. Petits temples de Yokohama, temples historiques de Kamakura ou de Katase, grands temples de Shiba, Asakusa ou Ueno à Tokyo : son attention est surtout attirée par les pratiques religieuses, les gestes et la représentation des divinités. Ses interrogations incessantes supposent d'ailleurs des connaissances acquises avant son arrivée au Japon.

Première visite à un lieu sacré, à Yokohama. Au sanctuaire shintô, Sengen, dédié au génie du mont Fuji, Guimet appréhende vite les particularités communes aux sanctuaires japonais, situés dans un bois de haute futaie et constitués de nombreux petits sanctuaires consacrés à différentes divinités, précédé d'un portique *(torii)* et édifiés dans une architecture de bois sans peinture, «dans sa pureté primitive».

Guimet et Régamey se rendirent souvent au temple d'Asakusa, situé dans un quartier animé de Tokyo. A côté des baraques de tir à l'arc (ci-dessus), ils y découvraient tous les gestes de la vie religieuse populaire, les ex-voto de sandales de paille offerts aux statues colossales des gardiens de temple, le riz qu'on donne aux pigeons, les bouts de papier des prières attachés aux grilles.

Le temple de Kiyomizu à Kyoto, ci-contre, est célèbre grâce à sa construction spectaculaire sur pilotis et à ses cerisiers en fleurs, repris ici en cliché par Régamey.

La conférence du Kennin-ji

Ce détail du tableau de Régamey qui dépeint la conférence tenue dans le grand temple zen de Kyoto, le Kennin-ji, donne une idée des réunions qui avaient lieu entre les grands prêtres japonais et les deux Français. Lors d'une autre rencontre, le 26 octobre 1876 à 10 heures du matin, Emile Guimet, accompagné de deux interprètes, avait pris place, face à trois bonzes, dans l'historique pavillon des Nuages en vol (Hiunkaku) du temple Hongan de l'ouest, à Kyoto. Jusqu'à 5 heures du soir, il interrogea les représentants de la Vraie Secte de la Terre pure (Shin-shû), mouvement de dévotion envers le bouddha Amida. «Ma première question, commença-t-il après les formules de politesse, porte sur l'origine du ciel, de la terre et de tout ce qui nous entoure. Comment expliquez-vous leur formation d'après le principe de la religion bouddhique?» Sur la réponse que toute chose est une réunion d'atomes régie par la loi de la «cause et de l'effet», il s'étonna: «N'y-a-t-il donc alors aucun créateur du ciel, de la terre et de toutes les autres choses?»

Les moines du Hongan-ji

L'approche chrétienne de la doctrine bouddhique aurait pu engendrer un dialogue de sourds entre Guimet et les bonzes. Mais ses interlocuteurs ne manquaient pas d'expérience. L'un d'eux, Shimaji Mokurai (1838-1910), avait participé peu d'années auparavant à une mission d'enquête sur les religions des pays européens. Au cours de celle-ci, Léon de Rosny, à Paris, l'avait renseigné sur le christianisme et son histoire. Moine savant de la secte Shin-shû, il entreprit de réformer sa branche du Hongan-ji et de défendre le bouddhisme. En luttant contre la politique du gouvernement Meiji, qui fondait l'unité du pays sur le shintô, et contre le contrôle du bouddhisme par l'Etat, il développa les mouvements de séparation des clergés et de l'Etat et lutta pour la liberté religieuse. Pendant qu'Emile Guimet interrogeait les moines du temple Hongan-ji de l'ouest, Régamey entreprit de dessiner au temple d'Hongan-ji de l'est une cérémonie de tonsure des jeunes novices, fils de prêtres (dans la secte Shin-shû, les prêtres se marient, à l'exemple du fondateur Shinran).

Les prêtres shintô du sanctuaire Tenmangû

En plus des réunions qu'il eut avec les moines des diverses sectes bouddhiques, Guimet conféra avec les prêtres du shintô, la religion indigène que l'on voulait alors réformer, purifier de ses emprunts bouddhiques et promouvoir comme religion nationale. La séance se tint au sanctuaire Tenmangû de Kyoto, dédié au dieu des lettrés, Sugawara no Michizane. Après la conférence, on célébra une cérémonie de «prédications et offrandes».

A Kyoto, «de véritables conciles, six pour les sectes bouddhiques et un pour le shintô», sont organisés. A part les sectes Shin-shû, Zen et Hokke (Nichiren) pour le bouddhisme, les autres sectes avec lesquelles confère Guimet (outre les «nombreuses conférences particulières avec des prêtres») sont probablement les sectes Tendai, Shingon et Jôdo. Preuve que les recherches sur les religions japonaises sont organisées d'une manière systématique et méthodique, et que les religieux se montrent coopératifs.

Guimet souhaitait absolument visiter l'important sanctuaire shintô d'Ise (ci-dessus). Malgré ses recommandations officielles, l'accès ne lui fut pas facile. «Après une journée de pourparlers, je pus enfin voir le grand prêtre, qui fut charmant. [...] Après m'avoir fourni tous les renseignements que j'avais demandés, il organisa en mon honneur une danse religieuse telle qu'on l'exécute les jours de grandes fêtes ou en présence de S. M. le Mikado.»

Pour mener à bien ses projets, Guimet bénéficie du concours de deux personnages officiels

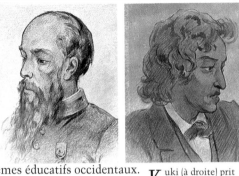

L'un est un jeune fonctionnaire, Kuki Ryûchi (1852-1931), dont il a fait la connaissance à Paris en 1873, lorsque celui-ci était venu étudier les systèmes éducatifs occidentaux. Membre influent du ministère de l'Instruction publique, il revient en France en 1878 pour l'Exposition universelle et pour enquêter sur la politique des arts.

L'autre, Makimura Masanao (1834-1896), alors sous-gouverneur de Kyoto, «homme des Lumières» et libre penseur au dire de Régamey, permet à Guimet de conférer avec les moines de l'ancienne capitale. La visite de l'industriel lyonnais l'intéresse. Le départ de l'empereur pour Edo a déclenché à Kyoto une grave crise économique et les activités textiles ont été gravement affectées. En conséquence, Makimura, qui applique avec zèle les mots d'ordre politiques de l'époque, envoie de jeunes Japonais à Lyon, la cité des soyeux, et importe le métier à tisser automatique, le «métier Jacquard».

Kuki (à droite) prit part à la réforme de l'éducation et chercha à promouvoir les arts traditionnels. En 1889, il devint finalement directeur du musée impérial de Tokyo. A Kyoto, Makimura (à gauche) introduisit le métier à tisser automatique, le «métier Jacquard» et, pour la formation professionnelle, institua un système scolaire moderne bien avant la promulgation du système gouvernemental.

La conférence avec les moines zen du Kennin-ji est ici dessinée sur le vif par Régamey.

« J' aurai pour le Japon un passeport diplomatique et une mission du gouvernement me chargeant d'étudier les religions de l'Extrême Orient. Vous voyez qu'un dessinateur m'est indispensable. Tâchez d'être mon compagnon, nous passerons ainsi dix mois qui éclaireront tout le reste de notre vie.» Dans ce Japon rêvé, Régamey trouva son inspiration artistique et Guimet l'idée de son musée.

CHAPITRE IV
DES PROPAGANDISTES
À L'ŒUVRE

Emile Guimet s'assura une renommée durable par la création d'un musée des religions portant son nom et inauguré à Paris en 1889. Dans sa bibliothèque, le 27 juin 1898, une cérémonie bouddhique était célébrée par le lama bouriate Agouan Dordjief. On reconnaît Clemenceau au premier rang de l'assistance.

La préoccupation constante d'Emile Guimet : faire connaître

Les premières caisses d'objets récoltés au Japon,
en Chine, en Inde, qui parviennent à Guimet lui
permettent d'aménager une salle d'exposition
consacrée aux «Religions de l'Extrême-Orient», dans
une aile du pavillon qui a été bâti au Trocadéro pour
l'Exposition universelle de 1878. Outre les tableaux
réalisés par Régamey illustrant leur périple, on y
montre au public documents religieux, objets d'art,
céramiques, peintures. Le centre de la pièce est
occupé par la reconstitution légèrement modifiée du
mandala du temple de l'est (Tôji) de Kyoto (installé
en 839) : un ensemble de vingt-trois statues de bois
représentant bouddhas, bodhisattvas, divinités
protectrices, disposées sur une estrade de façon à
dessiner un diagramme reflétant la doctrine
ésotérique de la secte Shingon.

Une estrade sur
laquelle étaient
placées vingt-trois
statues, copie du
mandala du Tôji
exécutée par le
sculpteur Yamamoto
Mosuke à Kyoto,
occupait le centre de la
galerie aménagée par
Guimet à l'Exposition.
Sur le socle,
des panneaux
représentaient les
trente-six poètes
célèbres du Japon.
Autour étaient exposés
des tableaux de
Régamey, le paravent
des Portugais, des
statues de temples des
environs de Nara,
des peintures chinoises,
des dieux indiens, etc.

1878, toujours : comme pour asseoir sa place toute fraîche d'orientaliste, Guimet organise le Congrès provincial des orientalistes de Lyon (31 août-7 septembre). Le premier japonologue français, Léon de Rosny, y assiste. De jeunes étudiants japonais fraîchement débarqués en France font des communications : Tomii lit sa traduction d'un texte sur le mont Sumeru rédigé par un prêtre de Kyoto, Sumitani Ryôun ; Harada fait un curieux historique des écritures japonaises. Que l'on ait demandé à de jeunes étudiants, aussi brillants fussent-ils, de prendre la parole pour des exposés érudits souligne l'état embryonnaire des études et les prétentions de Guimet.

Le personnage assis près d'une vitrine pleine de statues bouddhiques, dans la galerie de l'Exposition, est vraisemblablement Félix Régamey, auteur des peintures exposées.

« La Ferme japonaise », construite sur la pente du Trocadéro (ci-contre), constituait la partie agricole de la participation japonaise à l'Exposition universelle de 1878. Là étaient exposés des plantes et des objets de la vie quotidienne. Edmond de Goncourt ou Ernest Chesneau apprécièrent le calme et la beauté de l'endroit.

Celui-ci profite de la circonstance pour présenter aux congressistes son Musée oriental, alors en construction à Lyon, dans le nouveau quartier de La Tête d'or, qui sera officiellement inauguré en 1879 par Jules Ferry. Le musée, «une collection d'idées» selon le mot que se plaisent à répéter les responsables, est consacré aux religions du monde entier. Les objets japonais y sont exposés avec soin.

A l'exemple de la Smithonian Institution de Washington, Guimet crée une bibliothèque spécialisée dans le musée même (il avait rapporté, entre autres livres, un millier d'ouvrages japonais ou chinois). Elle est pour lui un outil fondamental pour la recherche sur les religions alors que les méthodes positivistes se développent.

A la fin de 1882, la deuxième tranche des travaux est interrompue et, quelques années plus tard, les collections et les aménagements intérieurs partent pour Paris. Le bâtiment fut ensuite vendu à l'encan (1897) et devint patinoire. Toutefois, il retourna à sa destination première. Racheté par la municipalité en 1909, l'édifice sert au nouveau musée recréé par Guimet en 1913 (par dons d'objets personnels et dépôts) ainsi qu'au Musée d'histoire naturelle.

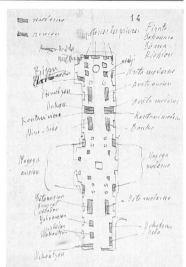

Dans cette lettre autographe du 5 février 1888, Guimet indique les aménagements qu'il désire pour la salle de céramique japonaise à Paris. Elle était adressée à Emile Deshayes, conservateur adjoint du musée (1888) puis conservateur du musée d'Ennery (1905).

A l'heure des échanges culturels

Autre projet fondamental, la création d'une Ecole orientale. Réalisée dans un but scientifique, elle possède cependant une fonction immédiate plus utilitaire en liaison avec l'importance commerciale de la ville de Lyon et les échanges internationaux liés à la soierie.

A la fin du séjour au Japon, Régamey avait noté dans une lettre : «Il [Makimura, le sous-gouverneur de Kyoto] envoie quatre jeunes Japonais à l'école Franco-Japonaise qui n'attend plus que le retour de Guimet pour se fonder à Lyon, le gouvernement japonais paye le voyage aller et retour – Guimet paye pour leur entretien pendant deux ans – tous ces jeunes gens nous sont connus déjà – deux d'entre eux nous servent d'interprètes depuis notre arrivée.» La demande n'est pas acceptée par le ministère et c'est finalement Léon Dury qui en 1877 emmène en France Kondô et Utahara, les interprètes estimés de Guimet, avec six autres condisciples, pour étudier l'industrie.

Guimet aura donc comme collaborateurs à Lyon ces jeunes Japonais aux compétences exceptionnelles : Imaizumi Yûsaku, né dans une famille de samouraïs d'Edo ; Tomii Masaakira, issu d'une vieille famille de Kyoto, élève de Dury et interprète de Guimet au Japon ; Harada Terutaro, ancien élève et assistant de Dury à Nagasaki, qui entrera à Saint-Cyr ; et Yamada Tadazumi (1855-1917), lui aussi élève de Dury à Nagasaki, qui au lieu de regagner le

Le musée fut édifié dans le style néo-classique qu'on affectionnait à l'époque et qui lui donnait un air de respectabilité. A Paris, les deux ailes formant façade décrivent un «V» dissymétrique et se réunissent à la pointe par une rotonde dans laquelle, à l'étage noble, est installée la bibliothèque. Les trois étages correspondent aux trois ordres classiques, dorique, ionique et corinthien, où les colonnes de ce dernier sont remplacées par des cariatides. Le bâtiment réellement construit à Lyon ne correspond qu'à une partie de l'aile qui est vue ici en coupe dans un dessin de l'architecte J. Chatron.

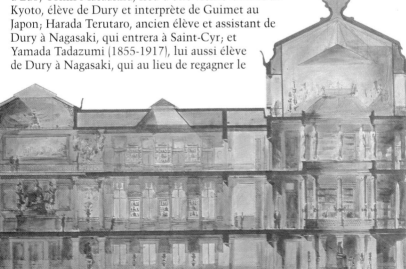

Japon (ce qu'il fait tardivement en 1908) est nommé consul à Lyon où il épouse une jeune française. De cette union naît une fille, Kikou Yamata (1897-1975), qui fréquente Paul Valéry et les milieux littéraires parisiens, publiant divers romans et essais inspirés par sa double culture.

Imaizumi Yûsaku (1850-1931) arrive à Lyon en juillet 1877. Sous l'influence de Guimet, il renonce à s'occuper de linguistique pour s'adonner à l'étude de l'archéologie indienne, égyptienne et gréco-romaine. Tout en étudiant ces domaines, il assiste Guimet pour classer les objets et documents extrême-orientaux rapportés par celui-ci, rédiger les catalogues ou enseigner le japonais à l'école de langues. A son retour au Japon en 1883, il entre au ministère de l'Education, joue un rôle important dans la fondation de l'école des Beaux-Arts de Tokyo (l'actuelle université nationale des Beaux-Arts) avec Okakura Kakuzô et Fenollosa, contribue à la publication d'une importante revue d'art, *Dai Nihon bijutsu shinpô*. Conservateur au musée impérial de Tokyo, recteur de l'université des Beaux-Arts et des Arts et Métiers de Kyoto,

Kondô (debout) et Utahara (assis) sont photographiés ensemble en tenue japonaise.

Peu satisfait de son interprète au cours de son voyage à Kamakura, Guimet demanda à Dury (ci-dessous) de lui fournir ses élèves. Il employa Kondô pour le voyage à Nikkô, puis Kondô et Utahara pour le voyage à Kyoto. L'identification du premier n'est pas simple, mais il s'agit de Kondô Tokutarô dont le nom, avec celui de Utahara Jûzaburô, est bien précisé dans la demande officielle émanant de Makimura, le gouverneur de Kyoto, adressée au ministre de l'Intérieur Okubo Toshimichi, pour envoyer ces étudiants à Lyon à la requête de Guimet.

directeur du musée Okura Shûkokan, il marque la vie artistique et le monde des musées du Japon.

Formé à la faculté de droit de Lyon, Tomii Masaakira rédige le code civil et est fait baron

Tomii Masaakira (1858-1935), tout en étudiant le droit à l'université de Lyon où il obtient brillamment son doctorat en 1883, travaille pour Guimet soit en enseignant le japonais et en classant les collections, soit en traduisant des textes japonais. Son nom reste associé au code civil japonais promulgué en 1896 dont il est l'un des trois rédacteurs.

Le code civil japonais avait été rédigé par le juriste français Boissonade sur le modèle du code Napoléon et promulgué en 1890. Touchant à des questions sociales fondamentales, heurtant d'autres tendances juridiques, il suscite une levée de boucliers. Un nouveau code, plus proche du code allemand, est alors élaboré en 1896 et reste en vigueur jusqu'à la Deuxième Guerre mondiale ; ce n'est qu'en 1947 qu'il sera profondément révisé.

L'ancien protégé de Guimet, enseignant renommé anobli avec le titre de baron, est donc l'un des pères de la législation japonaise. Il n'oubliera point ses attaches françaises, ni la langue française, qu'il écrit avec élégance, et apportera son aide aux échanges culturels franco-japonais, spécialement pour la fondation de la maison franco-japonaise de Tokyo dont il sera le président.

L'école est inaugurée le 3 février 1879. Les méthodes pédagogiques paraissent bien étranges («les procédés d'enseignement devaient être exactement ceux qu'on emploie dans les écoles primaires du Japon»). Finalement, l'entreprise est un échec.

Kondô (page de gauche, en haut) qui avait appris la filature et l'élevage du ver à soie à Tokyo, étudia les techniques de l'industrie textile à Lyon pendant cinq ans. Revenu à Kyoto, il transmit la technique du métier Jacquard aux tisserands de Nishijin avant d'être promu directeur de l'Ecole technique de la préfecture de Tochigi, à Ashikaga, contribuant grandement, jusqu'à la fin de sa vie, à l'essor de l'industrie textile de cette ville.

Harada Terutarô (en haut à gauche) fut avec Tomii Masaakira (ci-dessus) un des jeunes Japonais employés par Guimet à leur arrivée en France (1877). Le second est montré ici alors qu'il est devenu un éminent juriste.

Pour Félix Régamey, un seul but : faire aimer le Japon

Bien avant 1900, date à laquelle fut fondée la Société franco-japonaise de Paris dont il fut le dévoué secrétaire et Guimet le vice-président, Félix Régamey met sa plume et ses pinceaux au service du Japon. Il illustre les *Promenades japonaises* de «scènes de mœurs prises sur le vif» avec une originalité et une fraîcheur que n'ont guère les autres illustrations de l'époque gravées à partir de photographies. Pour l'Exposition universelle de 1878, en un an, il exécute une quarantaine de tableaux sur des sujets religieux d'après des scènes vues durant son voyage.

Parmi ses publications, *Okoma*, d'abord en feuilleton dans *Le Monde illustré* (d'août 1879 à mars 1883), est une réalisation étonnante. C'est l'adaptation abrégée d'un roman de Takizawa Bakin, écrivain très populaire de l'époque Edo (1767-1848). Les illustrations en noir et blanc du livre japonais sont reproduites… en couleurs.

La mise en page inhabituelle, le décor à motifs japonais, l'explication des coutumes japonaises en marge, tout montre le soin et l'amour mis par l'auteur à la réalisation du livre.

Dans son article «Le Japon vu par un artiste» *(Revue bleue)*, il célèbre le Japon, sa gaieté, sa politesse, sa morale stoïque, l'aspect poétique de

Hugues Krafft (1853-1935) (ci-contre dans sa tenue de voyage) s'éprit du Japon où il fit de nombreuses photos. Régamey dans *Le Japon pratique* (1891) évoque la maison japonaise, *Midori no sata,* qu'il s'était fait construire près de Versailles. Le 9 juillet 1899 s'y tenait un déjeuner réunissant des «japonisants» : S. Bing, Louis Gonse, Mme Roujon, Emmanuel Gonse, Mme Louis Gonse (photo page de droite). C'était le moment du grand engouement pour les arts japonais, symbolisé par *Le Japon artistique,* mensuel édité par Siegried Bing.

ses coutumes, la richesse de sa sensibilité artistique : hyperboles d'un Japon presque utopique, écho de l'engouement général pour l'art japonais chez les artistes français. Régamey reprend cet article dans *Le Japon pratique* où il présente les techniques des arts et métiers du pays. Il y évoque la curieuse demeure purement japonaise que le riche Hugues Krafft se fit construire, dans la banlieue parisienne, par des artisans spécialement amenés de leur pays. La parution de ce livre (recommandé pour les bibliothèques des écoles, réédité plusieurs fois et traduit en anglais) dans la collection «Bibliothèque des professions industrielles, commerciales et agricoles» participe au mouvement du japonisme dont l'un des aspects importants est la recherche d'inspirations nouvelles dans les arts appliqués.

Madame Chrysanthème : Régamey contre Pierre Loti

La vision quelque peu idéalisée de Régamey est choquée par la condescendance légèrement méprisante de Loti telle qu'elle apparaît en 1887 dans *Madame Chrysanthème.* Le regard de l'écrivain, limité à l'aspect extérieur

des choses, heurte la «japonophilie» ambiante et spécialement celle de Régamey. Celui-ci fait donc paraître en 1894 une charge contre Pierre Loti, un joli petit fascicule intitulé *Le Cahier rose de madame Chrysanthème* où il s'attache à donner le point de vue supposé de l'héroïne sous forme de journal intime.

Régamey compose aussi des pantomimes, genre à la mode au XIXe siècle. Celle intitulée *Les Yeux fermés*, représentée en 1897 et publiée dans *Le Figaro* avec des illustrations en couleurs et une partition musicale, constitue probablement une allégorie pour critiquer la modernisation du Japon.

Vingt ans après

Nommé inspecteur de l'enseignement du dessin dans les écoles de la ville de Paris (1881), Régamey retourne au Japon en 1899. Mission : une enquête sur l'enseignement des beaux-arts comme il en a fait une aux Etats-Unis en 1879. Dans son rapport officiel, il évoque l'école des Beaux-Arts de Tokyo et ses rencontres avec des professeurs comme Kume Keiichirô, propagandiste de l'école occidentale qui

Dès l'année suivant leur retour, Guimet pour le texte et Régamey pour les illustrations font publier le premier tome de leur récit qui relate leur séjour à Yokohama et à Kamakura. En 1880, le deuxième tome paraît avec le sous-titre explicite *Tokio-Nikko*. Le livre fut beaucoup lu.

Régamey participa au japonisme surtout par des emprunts de motifs. Il les employait comme éléments décoratifs pour ses livres, et dans le cas d'*Okoma* (en haut à gauche), il reproduisit même des illustrations complètes.

Cette lettre de remerciements, sur un papier japonais imprimé, fut adressée à Félix Régamey par Georges Bigot (auteur également de l'affiche ci-contre) qui s'amusa à y mêler le japonais (en transcription latine) et le français.

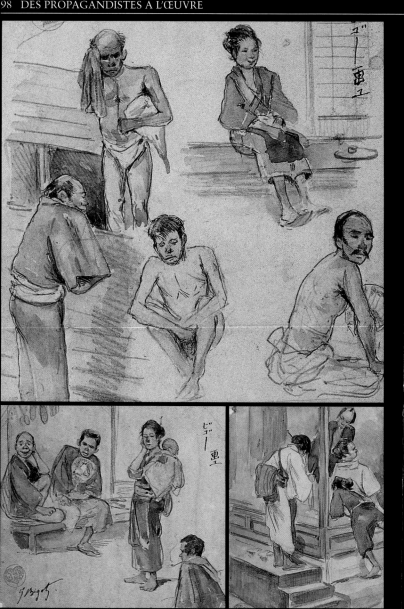

G. Bigot.   *Pousse pousse.*

Policeman.

Profondément marqué par la lecture de *Promenades japonaises* et attiré par l'art de l'estampe japonaise, Georges Ferdinand Bigot (1860-1927) embarqua en 1882 pour le Japon où il demeura pendant dix-huit ans. Il avait fait des études de peinture à l'Ecole des beaux-arts et acquis les techniques de la gravure. Tout en enseignant le dessin à l'école de l'armée de terre et le français à l'école de Nakae Chômin, il apprend la langue et la technique de peinture japonaises. Il se fit connaître comme caricaturiste, notamment en dépeignant les rapides transformations de l'époque et la vie politique. Au moment même où le *Japan Punch* allait être supprimé, Bigot publia pendant trois ans pour les résidents étrangers un journal satirique intitulé *Tôba-é*. Ses dessins ou gravures de scènes de la vie quotidienne dénotent son intérêt pour la réalité populaire. La disparition de la concession étrangère à Yokohama (1899) à la suite de la révision des traités signifiait pour Bigot, caricaturiste de la vie politique, la perte de sa liberté d'expression. Il retourna donc en France en juin 1899.

THÉÂTRE DU VAUDEVILLE

JEUDI 29 MAI 1884

À 2 *heures très-précises*

MATINÉE

LE

THÉÂTRE

AU

JAPON

CONFÉRENCE ILLUSTRÉE

PAR

Émile **GUIMET** et Félix **RÉGAMEY**

AU BÉNÉFICE

DE **L'ASSOCIATION DES ARTISTES LYONNAIS**

«prise la France jusque dans ses erreurs». Il s'intéresse plus particulièrement au mouvement de l'école dite Nihon bijutsu-in, autour de Okakura Kakuzô, qui prône le retour et la rénovation de l'art traditionnel à un moment où celui-ci est abandonné pour les techniques occidentales. Sollicité de donner son avis sur les impressionnistes français, Régamey répond aux artistes japonais : «Il est incontestable que l'imagerie japonaise a fait s'ouvrir bien des yeux. Vous n'avez pas tant à vous émouvoir de notre impressionnisme, c'est vous qui l'avez inventé.»

«J'avais fait [...] une sorte d'usine scientifique, et je me trouvais loin de la matière première et loin de la consommation. Dans ces cas-là, on déplace l'usine ; c'est ce que je fis : je transportai le Musée à Paris»

Avant même l'achèvement de la construction du musée de Lyon, Guimet doit reconnaître que Lyon, ville industrielle, n'offre pas les ressources intellectuelles et l'audience nécessaires à son ambitieux projet. L'échec de l'école de langues fait mal augurer du musée. Aussi prend-il la décision de transférer ses collections à Paris et de les donner à l'État : cela leur conférera une consécration officielle et réduira ses frais. Le 9 janvier 1883, il écrit au ministre pour proposer le don de ses collections et leur déménagement à Paris. Les négociations, compliquées par l'instabilité ministérielle de la IIIᵉ République, durent deux bonnes années. Enfin, une convention entre le ministre de l'Instruction publique et E. Guimet est conclue le 22 juillet 1885 et ratifiée par la Chambre des députés le 4 août suivant.

La ville de Paris doit offrir le terrain, l'État construire le bâtiment et en assurer l'entretien, et

Guimet et Régamey contribuèrent à faire connaître les cultures extrême-orientales, notamment japonaise, au moyen de conférences dans diverses villes de France, comme celle sur le théâtre au Japon qui fut publiée.

Régamey les illustrait par des dessins qu'il réalisait en même temps.

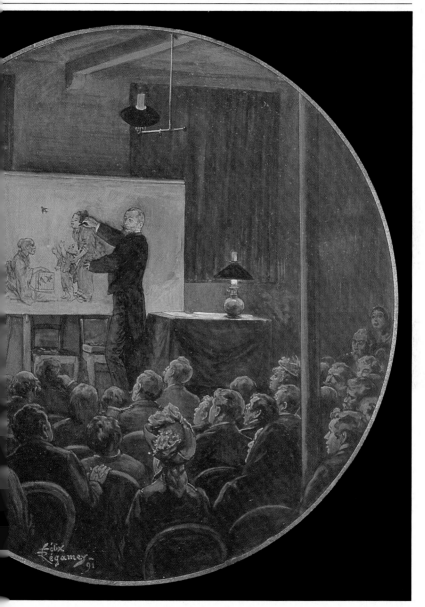

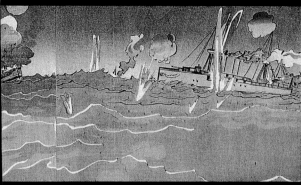

遼陽古領

我軍ハ、九月一日より
連日連夜猛烈なる
攻撃に敵の砲塁を
奪取し四日の朝小至り
遼陽を我有ふ帰せり
天下唯一の戦捷と言べし

Dans *Le Japon* (1903), Régamey se fait l'écho de l'opinion française, inquiète devant les visées coloniales de ce pays. La Chine ayant été évincée des affaires coréennes après la guerre sino-japonaise (1894-1895), le Japon n'avait plus comme rival que la Russie. Les deux expansionnismes se heurtèrent en 1904-1905. Le sanglant conflit russo-japonais fut marqué par d'horribles sièges en Mandchourie et par la destruction de la flotte russe par l'amiral Tôgô, dans le détroit de Tsushima après que celle-ci eut quitté la Baltique et contourné l'Asie. La victoire japonaise causa une émotion considérable : une nation asiatique pouvait vaincre une nation européenne. Les deux estampes (bataille navale en haut et prise, le 4 septembre 1904, de Leao-yang en bas) sont dues à Kobayashi Kiyochika (1847-1915). Un livre, *Aux victimes de la guerre russo-japonaise,* parut avec ce dessin de Régamey (ci-dessous).

Guimet payer la moitié de la construction, fournir les collections et les installer; en contrepartie, il est nommé directeur à vie. La municipalité de Paris acquiert, en décembre, un terrain sur la colline de Chaillot, quartier alors en cours d'aménagement et d'urbanisation. Il a été convenu que le bâtiment serait la réplique de celui construit par Jules Chatron à Lyon : les travaux commencent rapidement et on peut y réinstaller les aménagements intérieurs utilisés à Lyon, les rayonnages et

«N'oublions pas, avant de quitter la salle 3, qui était, peut-on dire, la salle d'apparat de la galerie Boissière, qu'elle était occupée en sa partie centrale par un extraordinaire ensemble de vingt-trois pièces visant à reproduire le mandala du grand hall (Daikôdô) du Tôji [de face en haut, de profil en bas]. Le Tôji avait été donné en 823 par l'empereur Saga à Kukai, fondateur de la secte Shingon afin qu'il y célébrât des rituels ésotériques apportant la paix à l'empire.»

Bernard Frank,
L'Intérêt pour les religions japonaises...

la galerie de la bibliothèque. Le 20 novembre 1889, Sadi Carnot, président de la République, inaugure le nouveau musée ouvert au public le lendemain.

Dans les salles, aux murs peints en rouge et ornés en hauteur de frises colorées, un strict souci pédagogique veille à la répartition des œuvres. Les objets illustrant les religions de l'Asie, spécialement du Japon et de la Chine, sont groupés dans de grandes vitrines au premier étage. Le second abrite les pièces cultuelles de l'Antiquité classique, du Moyen-Orient ancien et de l'Egypte. Le rez-de-chaussée, quant à lui, sert à l'exposition d'une collection de céramiques chinoises et japonaises «réunie surtout au point de vue artistique et industriel» reflétant ainsi l'hétérogénéité primitive d'où devait naître la transformation de l'établissement. Les documents sont regroupés par séries que l'on veut les plus complètes possible; cette préoccupation didactique entraîne une surabondance d'œuvres parmi lesquelles les pièces majeures ne se détachent pas, et cause une impression d'encombrement qui masque les idées sous-jacentes à l'organisation. Il est donc nécessaire d'expliciter le contenu de cette accumulation d'objets.

«Les publications et les conférences ne doivent jamais être supprimées. L'Institution étant une œuvre d'enseignement, c'est par le·livre et la parole qu'elle s'explique»

Les buts que s'était fixés Guimet n'ont pas varié. Pour lui, le musée est, selon sa formule, «une usine de science philosophique, dont les collections ne sont que la matière

Les collections bouddhiques japonaises étaient présentées au premier étage dans la galerie Boissière. Au premier plan (ci-dessous) figure la statue de Chûjô-hime, princesse du VIIIe siècle entrée en religion. Selon la tradition, elle tissa, avec l'aide miraculeuse de Kannon, le grand mandala de la Terre pure conservé au temple de Taima.

première». La présentation permanente des «matériaux» dans les salles est donc très insuffisante si les objets ne sont expliqués que par leur simple rapprochement.

Le premier moyen, c'est la parole. A mi-chemin entre la visite guidée et la communication savante, des conférences régulières, publiques et gratuites sont assurées par le directeur, le conservateur-bibliothécaire et par le conservateur adjoint. Léon de Milloué, le conservateur-bibliothécaire en poste dès l'ouverture du musée et jusqu'à sa retraite en 1912, se charge plus particulièrement des questions religieuses. Peu à peu, les maîtres de l'orientalisme y participent et les conférences dominicales deviennent une institution.

L'écrit est le deuxième moyen. Dès 1880, une *Revue de l'histoire des religions*, qui paraît aujourd'hui encore, est lancée. Elle se veut scientifique, indépendante de toute école, neutre et sans domaines interdits. «La Revue est purement historique, elle exclut tout travail présentant un caractère polémique ou dogmatique», précise son premier directeur, Maurice Vernes. Outre ce périodique, Guimet lance un programme de publications regroupées sous le titre général d'*Annales du musée Guimet* et réparties, en fonction de leur caractère, dans quatre sous-collections dont l'une porte l'appellation évocatrice de «Bibliothèque de vulgarisation». Bien que le rêve d'une école de langues ait échoué, des collaborateurs orientaux paraissent toujours nécessaires à Guimet. Après la période des étudiants japonais et des moines cingalais, des collaborateurs sont recrutés d'une façon plus régulière. Parmi ceux-ci, un Japonais, Kawamura Shirô (né en 1862) est nommé traducteur en 1886 et travaille jusqu'en 1894. Mais le cas le plus singulier est celui d'un Coréen, Hong Chongu, qui collabore officiellement au musée durant un an (1892-1893).

En 1898, F. Luigini peignit Emile Guimet contemplant une pièce de ses collections dans son musée. On reconnaît sur le tableau deux statues japonaises, une forme de la déesse Kannon (en bas) et les éléphants d'une représentation de Samantabhadra (ci-dessus). Le cadre, la tenue, la pose affectée sont là pour rappeler qu'à la soixantaine Guimet demeurait un grand bourgeois de la IIIe République qui n'avait pas négligé ses activités industrielles. Non seulement il avait développé l'usine familiale de Fleurieu, mais il avait pris la direction d'une autre usine à Dôle en 1888. Depuis 1887, il était devenu président de la Compagnie des produits chimiques d'Alais et de la Camargue, connue aujourd'hui sous le nom de Société Péchiney.

Il permet aux frères Boex, qui écrivent sous le pseudonyme de J.-H. Rosny (Joseph-Henri, l'aîné, écrira en 1911 *La Guerre du feu*), de publier le premier «roman» coréen en français (1892), donné sous le titre de *Printemps parfumé*.

Fouilles et légendes

Comme toute institution vivante, le musée doit refléter l'activité scientifique, marquée alors par des expéditions de découverte.

Il faut aussi subventionner la recherche. Toute sa vie, Emile Guimet resta passionné par l'Egypte et par le culte d'Osiris et d'Isis, tant en Egypte qu'à Rome et en Gaule romaine. «Dans l'espoir de retrouver en Egypte les traces du culte isiaque, sous forme romaine», il charge l'archéologue Albert Gayet de mener des fouilles en moyenne Egypte, à Antinoé. Déception : on ne met au jour que des momies, ou plutôt des cadavres desséchés, des premiers temps de la chrétienté. L'une correspond à un anachorète nommé Sérapion, avec ses instruments de mortification, une autre est celle d'une chrétienne appelée, semble-t-il, Thaïs. Le roman d'Anatole France, l'opéra de Massenet avaient rendu célèbre la courtisane repentie et les saints du désert. Le public l'identifie donc à cette héroïne et vient la voir en foule; les catholiques en pleine opposition à la politique du gouvernement de Waldeck-Rousseau, puis de Combes, y voient une revanche : la «vraie religion» s'installe avec éclat, dans un antre d'idolâtrie.

Dans la bibliothèque, les réceptions se succèdent

Riche bourgeois et chef d'entreprise prospère, Emile Guimet mène une vie sociale active et accueille volontiers les personnes de marque. Un jour, il fait les honneurs du musée à un cousin de l'empereur de Chine, Tsaï Tsö. Le visiteur remarque deux sceaux de jade de l'illustre souverain K'ien-long, auparavant dans le palais de

La Corée, longtemps fermée à l'instar du Japon, était alors agitée par les mêmes problèmes que ceux que ce dernier pays avait connus quelques décennies plus tôt (ouverture, occidentalisation, visées étrangères) et les questions se réglaient d'une façon aussi brutale. Après avoir quitté la France en 1893 (date de la photo ci-dessus), la même année Hong Chongu assassina, à Shanghai, son compatriote le réformateur Kim Okkyun qui avait fomenté un coup d'Etat en 1884 et qui bénéficiait du soutien des Japonais. Les autorités chinoises le renvoyèrent sans ennuis dans son pays natal où son action lui valut récompense et où il se livra à l'action politique.

Le Directeur du Musée Guimet
prie Monsieur *Jamshedji Modi*
de lui faire l'honneur d'assister à la **Conférence**
qui sera faite le 13 Mars, à 9 h. du soir,
au *Musée Guimet*, par MM. GUIMET &
DE MILLOUÉ *sur les*

DANSES BRAHMANIQUES

avec le concours de Mme MAC LEOD *qui exécutera :*

1° *Invocation à Çiva.*
2° *La Princesse et la Fleur magique.*
3° *Danses guerrières en l'honneur de Soubramania.*

l'impératrice Ts'eu-hi, et arrivés à Paris
à la suite de l'expédition internationale
contre les Boxeurs en 1900. Le prince
souhaite les racheter, Guimet en personne
va les lui offrir le lendemain à son hôtel.
En retour, l'impératrice douairière lui fait
parvenir quatre peintures des collections
impériales.

   Le goût de l'exotisme, les mouvements religieux
hétérodoxes alors à la mode lui fournissent l'occasion
de réunions très courues qui se déroulent dans le
musée. Ainsi, le 13 mars 1905, la bonne société qui
fréquente le musée est invitée à une conférence qui
doit se terminer par l'interprétation de danses
brahmaniques exécutées par Mme Mac Leod.
La bibliothèque est ornée de guirlandes de fleurs et
la danseuse, moulée dans des collants couleur chair,
interprète ce qui devait être des danses sacrées.
Cela fait sensation et assure auprès du Tout-Paris
le succès de la danseuse – plus tard célèbre sous
le pseudonyme de Mata Hari, et finalement fusillée
en 1917 pour espionnage au profit de l'Allemagne.

D ans la bibliothèque
ornée de
guirlandes, Mata Hari
exécute des danses qui
se veulent indiennes.

E n bas, page
de gauche,
l'ensevelissement
de Thaïs dont on
retrouvera la momie,
longtemps exposée
au musée Guimet.

Deux cérémonies bouddhiques furent célébrées par des moines japonais au musée Guimet; elles eurent un retentissement non seulement en France mais aussi dans d'autres pays étrangers. La première (à droite), qui se déroula le 21 février 1891 dans la bibliothèque, fut celle de la secte Shin-shû, appelée Hôonko, office en l'honneur de Shinran, le fondateur de la secte. Les officiants en furent Koizumi Ryôtai et Yoshitsura Hôgen. De nombreuses personnalités telles que le président Sadi Carnot, des ministres, des officiers ou des artistes comme Degas ou Bartholomé y assistèrent. La deuxième cérémonie, dite Gohôraku, «action de grâce à tous les bouddhas et bodhisattvas», eut lieu le 13 novembre 1893. Elle fut célébrée par Toki Hôryû (à gauche), probablement devant la réplique du mandala du Tôji considérée comme un autel, en présence de plus de deux cents personnes du monde politique et savant telles que Clemenceau, Darmesteter, de Rosny ou Pasteur.

Les journaux se font aussi l'écho d'autres manifestations, celles qu'organise Guimet pour faire connaître les religions par le vécu : toujours dans la bibliothèque ont lieu des cérémonies bouddhiques où se presse un public choisi : on peut reconnaître Clemenceau, Degas, Pasteur, Berthelot...

D'Emile Guimet au musée Guimet

Après avoir dignement célébré le vingt-cinquième anniversaire du musée en 1905, Emile Guimet, septuagénaire, se préoccupe de la pérennité de son œuvre. Il songe à instituer un «comité-conseil» qui

serait le garant de la continuité et, à cette fin,
il réunit une dizaine de personnalités à qui il
expose le 28 mai 1907 ses
volontés. A sa mort, en 1918,
ce conseil est officiellement
institué sous la présidence de son
fils, Jean, qui décède quelques
jours plus tard dans un accident.
Le fils de ce dernier étant en bas âge,
la présidence est alors confiée à un
très respecté indianiste, membre
de l'Institut, Emile Senart.
E. Guimet avait envisagé l'hypothèse
où l'on retirerait des salles d'exposition
les œuvres artistiques pour les mettre
dans une annexe afin de développer
la présentation des documents religieux.
Le fondateur mort, ses successeurs font
peu à peu le contraire. L'institution
devient le Musée national des arts
asiatiques, et les collections religieuses
sont reléguées dans une annexe. Mais les tendances
changent, l'annexe s'aménage, et aujourd'hui
les collections d'Emile Guimet retrouvent leur
signification et leur rang.

112

Le Musée Guimet.

Zégamey 86

TÉMOIGNAGES
ET DOCUMENTS

Le choc des cultures

Bien après les relations des seigneurs de Saint-Tropez rendant compte de la halte de Japonais pour la première fois en France, les voyageurs qui, à partir du Second Empire se rendirent dans les îles du Soleil Levant, furent nombreux à noter leurs impressions, prévenues ou candides.

PHILIPPVS FRANCISCVS FAXICVRA

Saint-Tropez, 1615 : une étrange apparition

A l'automne 1615, l'ambassade du seigneur chrétien de Sendai, envoyée auprès du pape, fait route vers Rome à bord de bateaux espagnols. Le mauvais temps les force à faire escale à Saint-Tropez. Plusieurs lettres narrant l'événement sont envoyées à un érudit, Nicolas-Claude Fabri de Peiresc (1580-1637), conseiller au parlement d'Aix-en-Provence.

Il y a huit jours qu'il passa a St Troppez un grand seigneur Indien, nommé don Philippe Francesco Faxicura, Ambassadeur vers le Pape, de la part de Idate Massamuni Roy de Woxu au Jappon, feudataire du grand Roy du Jappon et de Meaco. Il avoit plus de trente personnes a sa suite, et entre aultres sept pages tous fort bien vestus et tous camuz, en sorte qu'ilz sembloyent presque tous freres. Il avoit trois fregattes fort lestes, lesquelles portoyent tout son attirail. Ils ont la teste rase execpte une petite bordure sur le derrier faisant une flotte de cheveux sur la cime de la teste retroussee, et noüee a la chinoise. Personne ne mangeoit avec luy qu'un Jesuitte et un observantin tous les aultres servoyent. Leur habit estoit long a la chinoise et portoyent leurs espees au costé, comme noz femmes portent leur quenouille, ilz se mouchent dans des mouchoirs de papier de soye de la Chine, de la grandeur de la main a peu prez, et ne se servent jamais deux fois d'un mouchoir, de sorte que toutes les fois qu'ilz ne mouchoyent, ils jestoyent leurs papiers par terre, et avoyent le plaisir de les voir ramasser a ceux de deça qui les alloyent voir, ou il y avoit grande presse du peuple qui s'entre batoit pour un ramasser principallement de ceux de l'ambassadeur qui estoyent hystoriez par les bordz, comme les plus riches poulletz des dames de la Cour. Ilz en portient quantité dans leur seing, et ils ont apporté provision suffisante pour ce long voyage, qu'ilz sont venuz faire du deça. C'est Ambassadeur et les deux qui mangeoyent a sa table mangeoyent avec des petitz bastons dans les doigtz a la chinoise, avec lesquelz ils prenoyent aussi bien le ris qu'avec noz cuillers.

Quelques uns parloyent un peu franc, de sorte qu'ils entendoient le prouvençal, et ce faisoyent entendre, et ayant estés visités par Madame de St Troppez et aprens qui estoit la dame du lieu ils lui firent tout plein d'honneur. Et la cloche de l'Ave maria ayant sonné se jetterent tout aussi tost a genoulx pour prier dieux. Ils sejournerent a St Troppez deux ou trois jours pour le mauvais temps et aprez continuerent leur voyage vers Rome.

Relation de Madame de St Troppez,
conservée dans les papiers
de Nicolas Peiresc,
Bibliothèque Inguimbertine,
Carpentras.

L'ambassadeur japponnoys qui passa par icy au commancement de ce present moys d'octobre logea chez la vefve de feu honnoré Costé. Il se disoit estre Ambassadeur du Roy de Vox, un des Rois du Jappon, et son parent estant de maison royale. Il estoit accompagné de troix Cordelliers, un desquelz estoit japponnois, et les autres deux Espagnols, un frère Jesuitte aussy espagnol, pour le reste de sa suite scavoir un secretaire, et un qui le servoit a trancher tous ses vivres, sept pages et un lacquay, et un cussinier tous Japponnois, ormys leur lacquay quy estoit espagnol. Savoir aussy

un autre Espagnol quy luy servoit de trucheman, et alloit achepter tous les vivres. Luy et comme aussy tous les autres Japponnoys de fort petite taille, et fort basannez, et le nez fort court et plat, ayant tous au derrier de la teste, le poil long de demi pan, et entour tourche [?] d'un riban blanc, pour leurs habits, ils sont habillez a l'espagnolle, ayant des petits coullets, a la fasson des peres Jesuittes, et y ayant de petites poinctes, et des petits chappeaux a l'espagnolle, il est vrai que dans le lougis, ilz demerent toujours teste nüe, tant le maistre que les valletz. – Ambassadeur estoit tout habillé de viollet fort obscur, et quand il sortoit, il portoit un ballandran comme ceux qu'on porte en galere, ces pages estoyent tous habillez de gris obscur avec des manteaux a l'espagnolle, et quand cez gentz alloyent par la ville seulz,

alloyent tousjours sans manteau encors qu'il pleut. Et – Ambassadeur ne sortoit point que pour aller a la Messe. Et l'entendoient a genoulx, et a les – baisoyent la terre et se frappoyent la poitrine dix et quinze fois tant qu'ils pouvoyent, et ayant de long paterz [?] qu'ils pourtoyent pour dire cez heures a l'Esglize et en apres. Ilz les pourtoyent continuellement au col, et ne quittent jamais leurs espees et dague qu'ils portent aux deux costez comme les femmes de ce pays leurs quenouilles. Le ses espees et dagues sont faictes en fasson de simmettere tres peu courbé, et de moyenne longueur et sont sy fort tranchantz que y mettant un feuillet de papier et soufflant ilz couppent le papier, et encores de leur papier quy est beaucoup plus deslié que le notre et est faict de soye sur lesquels ils escrivent avec un pinçeau, en venant d'hault en terre le ses espees et pougnalz, n'ont point de gardes, sinon qu'une poignee assez grosse, et marquettee, longue d'un pan et plus, et autour une platine ronde, les unes d'argent et l'autre de cuivre, et les fourreaux de ses espees et dagues sont de bois de baume, et rondz. Quand Ambassadeur disne un de ces pages est derrier luy quy tient une petite halebarde ou hache et l'espee. Ambassadeur sur le col et personne se sied a table avecque l'ambassadeur mes les religieux, et il ne luy servoyent qu'un plat a la fois lequel il luy apportoyent couvert, et l'Escuyer le descouvroit et tranchoit a chascun sa part, sur des assiettes qu'il les couvroit d'un aultre, et un page les prenoit et presentoit a chacun leurs assiettes, quand ilz mangeoient ils ne touchent jamais leur chair sinon avec deux petits bastons qu'ils tiennent avec trois doigts, et entre aultres ils leur servoient d'un potage de choux avecque d'ougnon meslé tout ensemble. Et pour la fin, ilz sont pilloux

dedans le corps extremement et ont le poil long de trois travers de doigtz. Ils se couchent sur des matellas tous nudz sans se couvrir d'aucune chose et quand ils ont faict leurs repas rendent graces a dieu tous a genoulx disantz ce qui sensuit (prière en latin).

Relation du Sr de St Troppez du passage l'Ambassadeur du Japon par le lieu de St Troppez au commencement d'octobre 1615, conservée dans les papiers de Nicolas Peiresc, Bibliothèque Inguimbertine, Carpentras.

Les premiers clichés

Un voyageur au début de l'ouverture du pays.

Le Japonais est grand buveur de thé, grand fumeur et grand causeur. A toute heure de jour, il lui faut de l'eau bouillante, et le brasero doit rester allumé le jour comme la nuit, en été comme en hiver. Il s'en sert aussi pour allumer la pipe qu'il tire vingt fois par jour de sa ceinture, où il la porte suspendue aux cordons d'une blague à tabac; elle n'est guère plus grande qu'un dé à coudre, et le fumeur la remplit et la vide cinq ou six fois en autant de minutes. Ceux qui sont obligés de travailler, et pour qui le temps a une certaine valeur, ne peuvent se procurer qu'en passant le plaisir de boire du thé et de fumer quelques pipes : ils s'y livrent deux ou trois fois entre chaque repas; mais les gens qui n'ont rien à faire ou qui ne font rien, et le nombre en est considérable au Japon, ceux-là passent de longues heures accroupis autour du brasero, buvant du thé, fumant leurs petites pipes, et causant ou écoutant avec une satisfaction évidente peinte sur leurs mobiles visages. C'est lorsqu'on aborde les Japonais ainsi réunis qu'on apprécie le mieux leur aimable humeur, leur bienveillante politesse, et aussi leur paresse incorrigible. L'amour du travail n'est pas une vertu commune chez les Japonais; beaucoup d'entre eux sont indolents à un degré dont un Européen qui n'a pas encore vécu en Orient ne peut se faire aucune idée.

Rodolphe Lindau,
Un voyage autour du Japon,
Hachette, Paris, 1864

Un critique d'art, Théodore Duret

Il visita le Japon en 1871 en compagnie d'un financier d'origine italienne, Enrico Cernuschi (1821-1896). Ce dernier fit alors une ample provision de bronzes qui se bradaient, dont un monumental bouddha qu'il installa dans son hôtel parisien. Il légua collections et hôtel à la ville qui le transforma en musée d'art oriental.

Ce qui frappe le plus chez le Japonais, c'est la petite dimension de toutes choses : la maison est petite, ou, si elle est relativement grande, c'est qu'alors elle sera composée de nombreux appartements, et ceux-ci sont petits, avec de petites cours plantées d'arbres nains; le thé est fait dans une toute petite théière et bu dans des tasses qui ont l'air de coquilles de noix. Tout ce qui entoure le Japonais est de modeste dimension, léger, fragile ou délicat. Cela revient à dire que le Japonais a fait plus ou moins les choses à son image, car il est lui-même petit et en moyenne d'une taille fort inférieure à celle des Européens; le timbre de sa voix aussi est moins fort, il a moins de besoins et se nourrit moins, surtout il tient moins de place; dix Japonais accroupis ou formés en groupe ne couvrent pas la moitié de la superficie qu'occuperaient dix Européens. Le Japonais s'habille également moins que l'Européen. Il va tête nue, chausse ses sandales pieds nus, et reste même souvent jambes nues. [...]

Yedo, en sa qualité de capitale, est le lieu du Japon où l'on peut le mieux se familiariser avec tout ce qui concerne, dans la vie du peuple, le côté du goût et de l'art. On est tout de suite frappé, en parcourant Yedo et en visitant les boutiques, de la délicatesse de certains arts et du raffinement de certaines industries. Le peuple japonais est essentiellement un peuple de goût, rien de ce qu'il façonne n'est laid; les objets de la vie usuelle du pauvre comme du riche, par la coupe, la forme ou la couleur, sont ici choses de goût.

Théodore Duret,
*Voyage en Asie : le Japon, la Chine,
la Mongolie, Java, Ceylan, l'Inde*,
Paris, 1874

Un juriste «coopérant»

La première occupation du voyageur dans toutes les villes du Japon, c'est de bibeloter... C'est qu'on est ici sur la terre classique du bibelot, je ne dis pas de l'art. Si on trouve en effet en toutes choses une sobriété et un bon goût parfaits, le fini des détails, la patience de l'invention, on ne tarde pas à s'apercevoir de l'absence d'idéal, à constater que l'Extrême-Orient n'a pas le sentiment du beau simple et naturel, et qu'il cherche ses effets dans l'énorme, le bizarre, l'inattendu, le monstrueux même. On reste étonné, confondu, devant ces statues colossales, ces temples chargés d'or, ces prodiges de patience et de fini matériel qu'on rencontre à chaque pas dans tout l'Orient, mais il ne se dégage de tout cela aucun de ces élans dont on se sent transporté quand on regarde Notre-Dame ou qu'on entend une symphonie de Beethoven. Au Japon en particulier, on voit des danses gracieuses, ravissantes même, dont les poses molles et décentes l'emportent de beaucoup, à mon avis, sur les contorsions risquées de nos danseuses de l'Opéra ; on trouve des laques merveilleux de richesse, de travail, des armes superbes, des bronzes surtout, ciselés délicieusement à froid, mais on y chercherait vainement une romance ou un poème vraiment digne de ce nom... La peinture sur soie, si généralement prisée, offre toujours la même perfection matérielle, mais sans souffle, sans âme : des fleurs, des oiseaux, admirablement dessinés, quelquefois en trois coups de pinceau, et, pour la nature humaine, des types uniformes de dieux, de mikados, de guerriers, de princesses, dont les figures de convention rappellent, en les exagérant, les défauts de l'école byzantine. Parfois cependant l'artiste

s'émancipe, sort de la tradition et cherche une nouvelle voie. C'est surtout dans le genre grotesque et satirique que l'invention se donne carrière et arrive alors à des effets où l'imagination a sa place, mais inconsciente et inexpérimentée, comme dans ces dessins que les écoliers tracent au charbon sur les murs. On ne saurait croire à quel degré de comique atteint ainsi ce peuple, qui a inventé bien avant nous le genre grivois, et dont l'esprit de saillie, la gaîté communicative, dénotent un génie finement satirique.

George Bousquet,
«Voyage à l'intérieur du Japon»,
Revue des deux mondes, 1874,

Le regard d'une femme

Je continue de considérer mes Japonais. Ils sont bien faits, mais petits; ils ont la physionomie épanouie, l'air ouvert. Au contraire des Africains et des Asiatiques du Sud, ils ont les mollets très développés et la jambe bien faite. Ils se rasent sur le milieu de la tête une raie large d'environ trois ou quatre centimètres. Les autres cheveux restent longs, attachés en une queue dont ils font une espèce de rouleau bien ficelé et serré en chignon, qu'ils ramènent sur la tête dans l'espace rasé. C'est moins embarrassant que la queue des Chinois, mais ce n'est pas une coiffure très attrayante.

Maintenant, je ne trouve plus rien de laid, mais j'ai peine à accepter le costume des femmes japonaises : il est insensé. Elles ne peuvent écarter leurs pieds de plus de dix centimètres l'un de l'autre, parce que leur robe, qui est extrêmement étroite et ouverte tout du long, ne leur laisserait pas la liberté si elle était attachée; mais elles sont obligées, pour marcher, de la tenir fermée avec une main, sans quoi la traîne, étant fort longue, resterait derrière et ferait ouvrir la robe jusqu'au haut. Elles sortent ordinairement en chaises fermées; cependant elles sont moins rigidement tenues que les Chinoises, et peuvent quelquefois sortir à pied, accompagnées de servantes. J'en ai rencontré de très belles. Elles portent des chaussures d'un bois plus ou moins précieux, qui sont faites comme les petits bancs de nos théâtres, munies de courroies, et dont les pieds sont plus ou moins hauts, selon la richesse ou le rang de celle qui est perchée là-dessus; il en est de même pour les hommes.

De Marseille à Shanghaï et Yedo,
récit d'une Parisienne par
Mme Laure D. F. [Durond-Fardel],
Paris, 1879

Les Japonais à la découverte de l'Europe

Les Japonais en visite en Occident relatèrent aussi leurs premières impressions, leurs difficultés, leurs motivations. On nota aussi leurs attitudes qui ne sont pas sans constantes.

Les membres de la délégation japonaise à l'Exposition universelle de 1878 entourent leur chef, Matsukata Masayoshi, important homme politique.

De la difficulté de se nourrir

Le gouvernement du Bakufu envoya en Europe une ambassade d'une trentaine de personnes. Celle-ci arriva à Paris au printemps 1862. Elle visita ensuite Londres, La Haye, Saint-Pétersbourg puis revint à Paris à l'automne avant de repartir via le Portugal. Cette lettre fut écrite à Londres par un des membres de la mission, Shibata Sadatoro {Teitarô}, à ses collègues du Japon.

Nous sommes gênés par la nourriture qui est différente. Où que l'on aille, on a beau se faire servir les mets les plus recherchés, la plupart sont à base de viande. Si on remplace cette viande par du poisson, il est frit à l'huile. Les

légumes sont peu variés, et si par chance on nous en sert, eux aussi ont un goût de graisse. La cuisine au beurre ne nous convenant pas, nous nous sommes nourris, pendant notre séjour en France, d'une sorte de sashimi, en découpant du poisson cru et en l'arrosant de la sauce que nous avions apportée. Depuis le début de notre mission à l'étranger, c'était la première fois que nous avions trouvé une nourriture qui nous satisfît : très fiers de notre idée nous en faisions servir à l'hôtel, tous les jours. Or, nous avons appris après notre arrivée en Angleterre qu'un journal avait écrit que les Japonais faisaient leur nourriture habituelle de poisson cru et, comme il existe en Amérique du Sud des populations qui se nourrissent de poisson cru, on avait répandu la calomnie que nous étions de la même sorte que ces peuples. Nous étions alors un peu dégoûtés du poisson cru et, informés du

bruit qui courait, nous avons cessé d'en manger. Cependant nous ne trouvons aucune nourriture qui nous convienne.

Lettre de Shibata Teitarô (extrait),
9 mai 1862, traduite par
Francine Hérail, citée dans
Le Japon et la France,
Paris : Publications orientalistes de
France, 1974

Pourquoi je suis allé en Occident

Penseur et éducateur qui exerça une très grande influence à l'aube du Japon moderne et qui prônait la civilisation occidentale à travers ses ouvrages, Fukuzawa Yukichi (1835-1901) participa comme interprète aux premières missions aux Etats-Unis (1860, 1867) et en Europe (1862), au cours desquelles il assimila avec engouement maintes choses occidentales. En France, Léon de Rosny lui fournit nombre de renseignements. Son livre, Seiyô jijô, «L'Etat de l'Occident», rédigé après son retour de l'Europe (tome I publié en 1866), devint la principale source d'informations sur l'Occident; il fut vendu à plus de 150 000 exemplaires. Son autobiographie a été dictée à un journaliste.

Quoi qu'il en soit, ce qui m'a poussé à ces pérégrinations européennes, c'est la difficulté à comprendre certaines choses qui, allant de soi pour les Occidentaux, ne figuraient presque jamais dans les dictionnaires alors que, la plupart du temps, ceux-ci étaient suffisants pour l'étude des livres européens que je pouvais lire au Japon. Mon intention était donc de consacrer tous mes efforts, durant mon séjour à l'étranger, à lever les obscurités que j'avais rencontrées dans ma lecture des textes originaux, en m'adressant à ceux qui me sembleraient compétents. C'est ainsi que je pris des notes au fil de mes entrevues, ainsi que vous le voyez (le Maître montra alors un vieux carnet de forme allongée), qui, complétées par de nouvelles lectures et mes souvenirs, me servirent de base après mon retour pour la rédaction de *L'Etat de l'Occident* (*Seiyô jijô*).

Pour tout ce qui concernait les sciences physiques et mécaniques, que ce soit l'électricité, la vapeur, l'imprimerie, les techniques industrielles, n'étant pas moi-même spécialiste de ces domaines, je n'avais pas à pousser trop loin mon enquête : j'aurais été incapable de comprendre les explications détaillées et il me suffisait d'une présentation générale que je pouvais de toute façon aisément trouver dans les livres. Tout cela était donc le cadet de mes soucis et mes préoccupations se tournaient vers de nombreux autres sujets. Par exemple, on trouve là-bas des hôpitaux : qui en assume les frais, et de quelle façon? Et les banques, comment procède-t-on aux opérations financières? Il y a un système postal : selon quels principes fonctionne-t-il? En France, la conscription est en vigueur alors que l'Angleterre l'ignore : dans quelles conditions est-elle effectuée? Autant de choses que je comprenais avec peine.

Et avec ça, en politique, le système électoral, que je comprenais encore moins. Comme je ne comprenais pas, j'essayais de me renseigner : qu'est-ce que la loi électorale, quel genre d'institution est donc un Parlement? Et tout le monde riait : «Qu'est-ce qu'il nous demande là? Tout le monde connaît ça!» Et moi qui me débattais pour essayer de comprendre... Il y avait aussi les partis politiques, le Parti conservateur, le Parti libéral, perpétuellement engagés dans une lutte où personne ne l'emportait. Qu'est-ce

que ça pouvait bien vouloir dire, ces querelles politiques dans un Etat en période de paix? Je n'y comprenais rien : incroyable! Qu'est-ce qu'ils peuvent bien faire? Untel et untel, réputés ennemis, mangent et boivent à la même table! J'étais au comble de la perplexité. Il m'a fallu beaucoup de peine pour arriver enfin à me faire une vague idée de ce dont il s'agissait, en avançant peu à peu; j'ai passé parfois de cinq à dix jours sur les particularités les plus complexes avant de m'estimer satisfait. Là était tout le profit de ce voyage en Occident.

Fukuô jiden,
*Autobiographie de
Fukuzawa Yukichi,*
publiée d'abord en feuilleton
entre le 1er juillet 1898
et le 16 février 1899
Traduit par Jean-Noël Robert

Shibata Sadataro
1er Secrétaire de la Mission Japonaise
13 avril 1862

La mission Iwakura visite une savonnerie

La mission aux Etats-Unis et en Europe envoyée par le gouvernement japonais, entre 1871 et 1873, pour un an et dix mois, était composée de personnalités importantes du gouvernement, comme Iwakura Tomomi, ministre de droite, chef de la délégation, Kido Takayoshi, Okubo Toshimichi, Ito Hirobumi, etc. et de hauts fonctionnaires de tous les domaines. C'était une mission d'une cinquantaine de personnes qui devait d'un côté négocier l'ajournement de la réforme des traités, et de l'autre, et surtout, appréhender tous les aspects de la civilisation occidentale, considérée comme la plus avancée alors, pour orienter fondamentalement le Japon de l'époque Meiji. Elle séjourna à Paris entre le 16 décembre 1872 et le 17 février 1873, période pendant laquelle elle fut reçue par le président Thiers. Elle visita la Bibliothèque nationale, les égouts, l'Assemblée nationale, l'école des Mines, le lycée Condorcet, une prison, la préfecture de police, etc. L'article présente la visite d'une usine de parfumerie d'un des plus important fabricants de savon qui exportait ses produits au Japon.

La visite a duré près de trois heures. L'ambassadeur, doté d'une rare intelligence et d'un esprit d'observation très pratique, s'est intéressé à tous les détails de la fabrication. Les questions qu'il posait à chaque instant montraient que ce n'était pas dans un but de simple curiosité qu'il interrogeait, mais qu'il voulait s'intéresser au produit lui-même, le comprendre, le faire étudier pour en faire profiter son pays. Le premier secrétaire, qui lui servait d'interprète, parlait français comme un Parisien. Dans les explications qu'il transmettait à Son Excellence, il employait presque toujours les mots anglais pour exprimer les termes techniques, ce qui prouve que la langue industrielle du pays commence à se former en empruntant aux idiomes européens les mots dont elle manque. La plupart des personnages à la suite de l'ambassadeur sont jeunes; ce sont, nous a-t-on dit, les élèves les plus distingués des écoles japonaises, envoyés en mission pour apprendre la civilisation et l'industrie européennes. Ils étaient très attentifs et prenaient de nombreuses notes.

Ils se sont enquis de tout, de la force employée, de la distribution du chauffage, du nombre d'ouvriers, du chiffre de leurs salaires, de celui des affaires de la maison et surtout de ses relations avec le Japon. Ils ont paru enchantés de trouver dans les magasins des papiers de provenance japonaise directe qui servent à revêtir certains produits, et de lire des prospectus en langue japonaise qu'ils ont trouvés parfaitement traduits.

L'Illustration, 22 février 1873

D'Edo à Meiji : faut-il être moderne?

A un moment où le Japon connaît des transformations rapides et profondes, les Français qui vivent sur place font part de leur étonnement face à ces mutations, mais aussi de leur admiration, qui n'est pas toujours sans réserves.

Un médecin botaniste en poste à l'arsenal de Yokosuka

Ludovic Savatier (1830-1891), médecin de la Marine, séjourna au Japon de 1866 à 1871 et de 1873 à 1876 comme médecin à l'arsenal de Yokosuka. Il est connu pour ses travaux sur la flore japonaise. Il traduisit un traité japonais du XVIIIe siècle et publia une flore japonaise avec A. Franchet (Paris, 1875–1879). Sa correspondance avec ce dernier est au Muséum d'histoire naturelle (laboratoire de phanérogamie) et sa collection de livres japonais de botanique est conservée au musée Guimet.

Voici nos Japonais qui se lancent tout à fait. Il y a quelques jours, le Mikado, invisible pendant des siècles, donnait audiences aux Ministres européens, et à

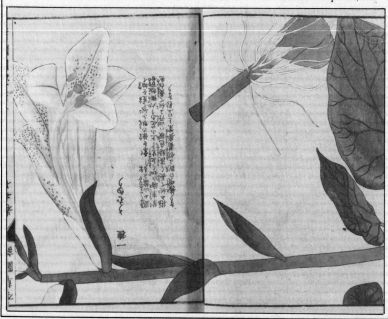

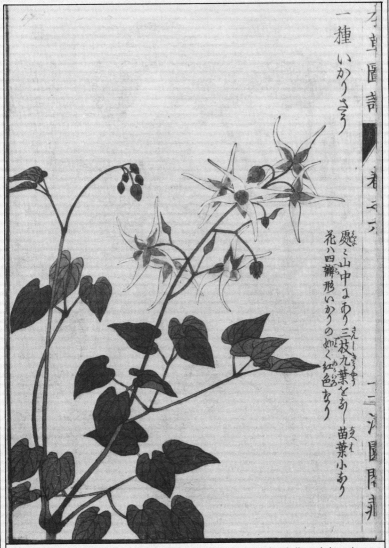

一種いかりさう

一種いかりさう

處々山中にあり三枝九葉を有し
花八四瓣形いかりの如く紅色なり
苗葉小あり

P our étudier la flore locale, le docteur Savatier réunit une collection de livres de botanique japonais dont le fleuron est constitué par les 84 fascicules coloriés à la main du Honzo Zufu, oeuvre de Iwasaki Kan'en (1786-1842).

plusieurs simples mortels, entre autres à Verny. Bien mieux, Sa Majesté est annoncée dans quelques jours à Iokoska, où elle vient, de sa main céleste, poser la première pierre de notre second bassin! Au lieu de pousser les Japonais en avant, il est très probable qu'il faudra les empêcher d'aller trop vite. [...]

Tous les Ministères de Yedo ont adopté, et rendu obligatoire, le costume européen; ce n'est pas ce qu'ils ont fait de mieux, mais c'est une preuve de leur désir de faire comme nous.

Lettre de Ludovic Savatier à Franchet (extraits), 25 novembre 1871

Nous attendons, la semaine prochaine, la visite du Mikado! Vous ne pouvez vous figurer la transformation que subit le Japon depuis deux ans.

Ces gens-là marchent plus vite que nous ne l'avons fait depuis deux cents ans!

Dans vingt ans on aura plus de raisons d'être fier d'être Japonais qu'Européen. C'est à n'y pas croire, ce que nous voyons!

Idem, 25 décembre 1871

Un autre médecin voyage à l'intérieur du pays

Le docteur J. Vidal se rendit, en juin 1873, de Tokyo à Niigata, sur la côte ouest, pour y installer un hôpital-école. Il revint en mai de l'année suivante pour travailler à l'usine de Tomioka. A cette occasion, il parcourut des régions très peu fréquentées par les étrangers.

Cette ville [Takasaki], qui se trouve à environ trente ri [approximativement 120 km] dans le nord-ouest de Yeddo, est un chef-lieu de district, et était, il y a quelques années, la résidence d'un daïmio. [...] J'eus la curiosité d'aller voir son ancien château, et quel ne fut pas mon étonnement, en arrivant devant la grande porte d'entrée, de rencontrer une troupe de soldats faisant l'exercice à la française, les officiers faisaient les commandements en français, mais il me fallait mettre beaucoup de bonne volonté pour les comprendre, tant ils en défiguraient la prononciation. Toutefois, il me fut impossible de pénétrer dans l'enceinte du château, cela étant, me dit-on, contraire aux règlements. Je le regrettai fort peu, attendu que je pus voir qu'il ne restait absolument rien des anciens bâtiments; les murs eux-mêmes de l'enceinte s'effondrent un peu tous les jours et comblent les fossés. Au centre de cette enceinte, on a construit de grandes baraques à l'européenne, qui servent de caserne pour les soldats. Je pensai que c'était là un signe des temps, selon l'expression en vogue. Un bâtiment européen, blanchi à la chaux, est venu s'élever sur l'emplacement et sur les ruines du palais des Daïmio. Dans cette grande cour, jadis animée par les gens de guerre, aux grands sabres et aux brillantes armures, on fait aujourd'hui l'exercice du chassepot et l'école du peloton. C'est ce qu'on appelle civiliser le Japon. Malheureusement jusqu'ici cette prétendue civilisation ne s'est établie que sur les ruines des anciens usages du pays, et il reste encore à prouver que les peuples en sont devenus plus heureux.

Dr J. Vidal, «Voyage de Yeddo à Niigata (Japon)», *Bulletin de la Société des sciences physiques et naturelles de Toulouse,* 1872-1873.

Emile Guinet : «Le Japon n'a pas assez confiance dans les mœurs du Japon»

C'est une chose curieuse à constater que cette sorte de honte que les Japonais instruits ont des croyances admises dans leur pays.

Lorsque le Japon s'est ouvert aux idées européennes, les Japonais qui étaient à la tête du mouvement ont eu le tort, à mon avis, d'être trop humiliés d'une infériorité qui n'était qu'apparente.

Certes ils n'avaient encore ni usine à vapeur, ni Ecole polytechnique. Mais que d'excellentes choses ils avaient, auxquelles ils renoncent sans raison.

Le Japon n'a pas assez confiance dans les mœurs du Japon; il fait trop vite table rase d'une foule de coutumes, d'institutions, d'idées mêmes qui faisaient sa force et son bonheur. Il y reviendra peut-être, je le lui souhaite.

Or, une des premières choses que les novateurs progressistes auraient voulu détruire, c'est la religion locale; et il est arrivé que les efforts qu'ils ont faits pour cela n'ont eu pour résultats que de donner un regain de popularité aux croyances, et de forcer les clergés à se réorganiser et se perfectionner.

Emile Guimet,
Promenades japonaises :
Tokyo-Nikko

Un étudiant japonais en France

En 1881, un mouvement d'opinion réclamait l'établissement d'un Parlement et l'élaboration d' une constitution qui ne fut promulguée qu'en 1889. Tomii, alors jeune étudiant en France, fait part à Guimet de son sentiment sur cette revendication.

Rien de nouveau au Japon qui puisse vous intéresser. Mais pour combler le vide qui reste, je vous dirai seulement, Monsieur, que nos ministres ont enfin nettement rejeté les demandes en réclamation du Parlement. Vous devinez aisément le motif qu'ils donnent à leur décision : c'est trop tôt! Je conviens bien que nombre de ces réclamants, s'ils sont élus membres de ce Parlement, ne sont probablement pas assez capables pour accomplir leur mission. Mais si les ministres refusent ainsi, c'est avant tout pour ne pas être contrôlés sur leurs actes antérieurs qui nous ont jeté dans cette situation économique déplorable dont nous ne pouvons sortir depuis plusieurs années. Peut-être ils feraient mieux de faire discuter précisément par le peuple lui-même sur les remèdes à apporter à cette crise de plus en plus en désarroi. D'ailleurs les meilleurs esprits sont impatients d'avoir une Constitution; car si nous sommes jaloux de conserver notre dynastie souveraine (qui, vous le savez, chez nous seulement, a été pendant vingt-six siècles d'une seule et même famille et dont aucun ambitieux n'a voulu s'emparer), nous voulons aussi nous prémunir contre l'éventualité d'un souverain oppresseur et contre l'arbitraire de l'oligarchie actuelle. Ce n'est en effet qu'au moyen d'une constitution solidement établie que nous pourrons jouir à la fois de la stabilité sociale et de la justice. J'espère qu'avec les sages réformes suivantes nous finirons par égaler les grands peuples du monde.

Lettre de Tomii Masaakira écrite à Aix-en-Provence le 26 juillet 1881 et adressée à M. et Mme Guimet, (Bibliothèque du musée Guimet)

Le Japon au quotidien

A la différence des récits retravaillés publiés par maints voyageurs, les lettres et les papiers de Félix Regamey livrent sans détours l'émerveillement du voyageur, et ses petites misères.

Lettre à son père

Yokohama, 8 sept 76

Mon cher cher père,

La lettre que je voulais t'envoyer, maintenant je me sens peu disposé à l'écrire – l'effort d'esprit nécessaire pour s'occuper d'affaires plus ou moins sérieuses est rendu très laborieux par suite de l'espèce d'ivresse d'obsession résultant du milieu où je me trouve qui me pénètre par tous les sens, ou presque tous – comme c'est difficile de dire ce qu'on veut voici presque que je viens de dire une bêtise, déjà – la vérité est ceci. Le spectacle est tout ce qu'on peut rêver de plus beau au point de vue de l'art. C'est donc le sens de la vue qui est en jeu surtout – d'ailleurs, la fumée des cuisines des Japonais et leur musique n'ont rien de bien réjouissant ni pour le nez ni pour l'oreille – à part ça tout le reste est se à mettre à genoux devant; ils ont sans doute l'instinct de ça, les Japonais qui se courbent et se prosternent à tout propos. Rien de plus cocasse que la vue des salamalecs des nombreux domestiques, jeunes gaillards venus sur le pont de l'*Alaska* à son entrée dans le port pour recevoir leur maître de retour d'une longue absence, précisément un des jeunes ingénieurs japonais dont il est question dans ma lettre à mère et dont le chapeau tuyau de poêle yankee faisait une si drôle de mine en présence de ce cérémonial extrêmement oriental.

Je n'entreprendrai pas d'entrer dans aucune description suivie des choses que je vois, les heures prises par la correspondance seraient autant de

Nota Bene : La ponctuation et l'orthographe de ces documents, à l'exclusion des noms propres japonais, conservés au musée Guimet (bibliothèque), ont été normalisées à quelques exceptions près.

perdues pour l'avenir. C'est le nôtre que j'entends – il me semble que je puise dans un trésor dont nous devons tous profiter; s'arrêter dans cette opération pour faire part de ses trouvailles à mesure serait peu sage. J'ai un tempérament très bien équilibré à part quelques faiblesses d'estomac, mais il n'est pas de fer et le sommeil m'est nécessaire, ce dont j'enrage. Et puis il faut bien de temps en temps faire quelque chose pour Guimet (entre nous, nous ne nous appelons plus que par nos noms de baptême). Ce que je fais pour lui m'intéresse au plus haut degré et jusqu'à présent s'est réduit à fort peu de chose. Nous nous entendons très bien – mieux, à mesure que nous nous connaissons; nous nous apprécions davantage; n'est-ce pas meilleur que de s'enticher à première vue?

Je n'ai pas plus le temps de m'appesantir sur le sujet de nos rapports que sur tout autre, malgré que je devine qu'il pourrait t'intéresser – contente-toi, je t'en prie, de savoir que tout va pour le mieux de ce côté et que j'ai la conviction que je pourrai lui rendre en utilité ce qu'il me donnera en agréable, aussi bien à présent que plus tard. Je serais bien surpris s'il ne résultait de nos études, que pour sa part il conduit avec une netteté de vues et une énergie rares, une ou plusieurs publications illustrées qui pour la plupart useraient la chromolithographie. Pour le moment nous entassons les faits et les informations – et pourvu que, comme je crois te l'avoir dit déjà, la maison puisse tenir jusqu'à l'année prochaine, que tu aies du travail, et qu'on te paye, que Frédéric ne perde pas courage et soigne sa mélancolie, que mère aussi bien que toi vous ne vous fatiguiez pas trop, il me semble que tout sera pour le mieux dans le pire des mondes. Les occasions de

gagner ne me manqueront pas; il est encore trop tôt pour songer sérieusement à rien de bien particulier parmi les nombreuses sollicitations auxquelles j'aurai à répondre – il s'agira de voir juste et de choisir la meilleure. Au pis aller n'ai-je pas l'*Illustrated London News,* qui sera trop heureux de m'avoir? Cette lettre partira par un des premiers bateaux quittant le port de Yokohama – elle est écrite en même temps qu'un mot à Frédéric. Ma lettre à mère écrite à bord de l'*Alaska* les aura précédées sans doute de quelques jours. Dans l'une je donne les indications nécessaires pour que je reçoive des nouvelles au moins une fois par mois.

Je ne voudrais pas que Frédéric envie mon sort assez pour soupirer trop fort après les espaces et que cela lui fasse plus lourde à porter sa peine parisienne. Qu'il songe que j'ai acheté cette joie (dois-je dire qu'elle n'est pas sans quelques nuages, tu penserais peut-être qu'il y en a plus que je ne dis, ce qui serait mauvais) au prix de trois ans de luttes dans la bagarre américaine – ce qui n'est pas peu de chose, sois-en sûr. Que j'aie le caractère mal fait, c'est connu – ce qui passerait inaperçu aux yeux de bien des gens est pour moi un sujet de larmes et le plus réel et le plus cuisant est toujours de n'avoir pu faire encore si peu de chose pour ta satisfaction, pour ceux que j'aime le plus au monde avec toi, mère et Frédéric, que j'embrasse de tout mon cœur.

Félix Régamey

Lettres à son frère cadet Frédéric

Yokohama, 8 sept 76

Mon Frédéric

Je t'écris du pays des rêves – quand je t'aurai dit que ce que nous en connaissions par les images était bien loin de la réalité?!! C'est un enchantement perpétuel – le nu dans toute sa splendeur, le costume aussi beau que l'antique avec la variété de coupe et de couleur en plus. Un paysage merveilleux, enfin tout. Aussi je n'ai pas assez de toutes mes forces pour le travail d'assimilation que j'ai à faire – ne t'attend pas à des lettres : je n'ai pas le temps d'écrire. Plus tard on verra par mes travaux que je ne perds pas mon temps, et tu me pardonneras mes silences.

Mon chagrin, c'est d'être sans nouvelles aucunes. Quand m'en arrivera-t-il ? Je t'écris sur du papier japonais – l'enveloppe est japonaise. Nous venons de faire en chaise à coureur une excursion de deux jours aux environs. Couchant à l'auberge, mais avec un cuisinier excellent qui nous précédait et faisait des dîners comme chez Brabant et un interprète de peu d'utilité. Nous, étant quatre, ajoutés à ces deux personnages accessoires, les douze coureurs – l'un traînant, l'autre poussant, toujours courant – cela faisait une caravane de dix-huit personnes plus deux chiens. Aussi gais après avoir couru pendant deux jours qu'au départ, ces hommes sont extraordinaires vêtus d'un large chapeau et d'une ceinture, en caleçon et pieds nus – quelquefois avec des tatouages qui leur tiennent tout le dos, véritables œuvres d'art de couleurs diverses qu'on a le temps de contempler à loisir. Il fait un peu chaud, mais

qu'importe! Et l'auberge avec les petites servantes qui accueillent les voyageurs avec des prosternements et des paroles de bienvenue comme un gazouillement d'oiseau. Entré, on ôte ses chaussures, on a ôté jusqu'à sa dernière chaussette, les filles vous lavent les pieds ; les mêmes filles nous passent une grande houpplande [sic] d'étoffe légère dont on enfile les larges manches avec leur assistance. A ce vêtement unique se joignent les sandales de paille… L'âge d'or, ni plus ni moins. Notre cuisinier japonais s'est surpassé, les filles s'interrompent de servir (on leur apprend que c'est à gauche que les plats doivent se présenter) pour nous éventer. Rien de plus à leur demander d'ailleurs et malgré la fatigue, l'émotion d'un premier début aussi fantastique jointe à la dureté de la natte qui vous est allouée comme lit, avec les simples adjonctions d'une épaisse couverture doublée, on n'obtient pas le sommeil facilement – une large moustiquaire nous épargne les piqûres des insectes, mais les cigales font un vacarme infernal. Je pourrais continuer comme ça longtemps si j'en avais le loisir. Il ne me reste plus qu'à obtenir une commande du Mikado – pourquoi pas?

Itinéraire pour envoyer lettres : Post office – Octobre à Shangaï, China; Novembre à Pointe de Galle, India; Décembre 1 à Calcutta, 2 Bombay; Janvier au Caire, Egypte. Faire l'effort de m'adresser au moins un mot à chacun de ces endroits serait méritoire. Je t'embrasse et quel chagrin de ne pas t'avoir avec moi.

Régamey– Sayo Nara! (ce qui veut dire au revoir en japonais ou quelque chose approchant).

9 sept 76

P. S. Un navire de San Francisco est arrivé à Yokohama hier sans courrier – on n'aura les lettres que dans quinze jours – et cela par suite d'un différend entre les postes et les bateaux. C'est odieux. Nous aurons quelque chose par voie de Suez sans compter que depuis ta lettre datée du 18 mai 76 je suis sans nouvelles aucunes de la maison. C'est rude – et voilà bien de quoi empoisonner le plus beau plaisir. Nous quittons définitivement Yokohama aujourd'hui pour aller porter notre tente à Yeddo. L'itinéraire futur est celui auquel il faut m'écrire : Kioto 3 nov., en Octobre à Shangaï – du 17 nov. Novembre : Pointe de Galles. Décembre : Calcutta, Bombay. Janvier : Le Caire. Et tant mieux si nous nous attardons en route les lettres attendront, cela vaut mieux que de les attendre.

F. L.

Tokio 19 sept. 76

Mon Frédéric
A la hâte quelques lignes pour accompagner ma réponse à la première lettre que je viens de recevoir de la jeune Colombe – la malle part aujourd'hui. Je t'ai écris, à père, à mère, de New York, de San Francisco, dernièrement de Yokohama. C'est inouï que depuis le mois de juin on ait pu me laisser sans nouvelles de la maison – les deux seules lettres reçues depuis les vingt-six jours que je suis au Japon sont l'une de Minnie, l'autre de celle à qui j'écris aujourd'hui. … Enfin c'est comme ça! Je t'embrasse.

Félix

Japon – splendide – Santé – excellente – Travail – énorme – Guimet – charmant

Lettre à sa mère

Yedo, 28 sept. 76

Ma chère mère,

Après un assez long séjour ici mais trop court à mon gré – il y a tant de belles choses à voir – nous repartons pour Yokohama, centre d'approvisionnement. Nous repartirons immédiatement pour Ozaka qui est à l'autre bout de l'île. Voyage par terre, à pied, à cheval, le plus souvent en chaise roulante traînée par deux hommes, les Jinrikicha. A quoi mieux employer les quelques minutes qui me restent avant l'heure du train qu'à t'écrire quelques lignes; elles partiront quand elles pourront et arriveront dieu sait quand. L'événement d'hier est la découverte que j'ai faite d'un très excellent artiste japonais, obscur et peu riche. Je lui ai donné des couleurs que j'avais en double – ça l'a

– il m'a comblé d'autographes gigantesques. Les Japonais qui croient de leur devoir d'emprunter un peu à chaque nation civilisée ont inauguré des courses de taureaux, que je n'ai pu voir, il pleuvait trop. Trois professeurs de dessin et de peinture ont été demandés à l'Italie : ils viennent d'arriver... ça, c'est le dernier coup.

Je t'embrasse

Félix

Lettre à son ami Richard Lesclide

Yokohama, sept. 76

Mon Richard,

mis dans le ravissement. Emile lui a fait des commandes. Son nom, dont on parlera dès que nous serons de retour en Europe, est Kio say. Je travaille avec furie et en désespéré de laisser échapper tant de merveilles qui défilent constamment devant mes yeux.

Je ne saurais me lasser de répéter que l'admiration que j'avais d'avance pour le Japon est de beaucoup dépassée par la réalité. Au sentiment de tristesse que me cause l'impossibilité de reproduire et de fixer tout ce que je vois vient se joindre un autre sentiment tout aussi peu gai : j'assiste à la fin de ce monde merveilleux, artistique, poétique, plein de douceur qui s'en va sombrer dans le sombre fatras de la civilisation occidentale. Aux robes de brocard brodées de fleurs de feu et de papillons couleur soleil voir succéder ça : un Japonais en chapeau gibus, c'est à faire dresser les cheveux sur la tête du plus chauve des rapins...

Hier nous avons été reçus par le ministre de l'Instruction publique, en revanche le Mikado a décliné l'honneur de se faire peindre par ton fils. Par contre le grand prêtre de Chiba, un bonze de la haute, a sollicité cette faveur

Tu sais que je fais le tour du monde, je l'aurais remplacé par le tour du Japon, simplement. C'est bien le pays que j'avais rêvé et au-delà – as-tu jamais vu une réalité surpassant le rêve ? Non, n'est-ce pas ? Eh bien j'ai trouvé. Ne t'attends à aucune description. L'émotion m'étrangle. Je te rapporterai un peu de la corde employée – ça te portera bonheur. Ne m'en demande pas plus long. Interroge un peu Frédéric. Il a bien fallu que j'écrive un peu chez moi. En lui appliquant la torture du vin Caudrot, peut être parviendras-tu à lui arracher quelque aveu.

Je collectionne les bronzes pour la collection que j'inaugurerai au retour et dont le métal servira à la statue équestre qu'on m'élèvera après ma mort et les jouets d'enfant merveilleux et innombrables que je te réserve pour t'émoustiller à l'époque rapprochée où tu seras définitivement tombé en enfance, ça – c'est une attention. Car il faut que tu saches que le premier livre qui m'est tombé dans la main en arrivant au Japon après vingt-six jours d'océan Pacific a été la collection complète de

Paris à l'eau-forte. Je suis encore agité au souvenir de ton récit d'un dîner des Sansonnets, ex Vilains Bonshommes rempli d'erreurs d'ailleurs – à commencer par celles–ci : ce n'est pas Veuillot, c'est Sarcey qui, à l'occasion de la première du *Passant* de Coppée, a dit, en parlant de l'auditoire composé d'un tas de Parnassiens : «Ah! c'était une bien jolie réunion de Vilains Bonshommes.» En foi de quoi, ayant été chargé de dessiner l'invitation du premier dîner mensuel des personnes ci-dessus incriminées, j'ai pris sur moi d'y donner ce titre. Si je savais que ta feuille persiste à paraître (je t'engage à rougir de mon ignorance), j'exigerais d'elle ma rectification. Dans mes bras,

Félix Régamey

P. S. – Veux-tu que j'obtienne pour toi une pension sur la cassette particulière du Mikado. Aimes-tu mieux la croix?

2e P. S. C'est pas toi qui dînes quand tu veux au restaurant *Des fleurs dans la lune* avec deux petites baguettes (je commence à rudement mépriser les fourchettes) avec de jeunes bayadères qui dansent, tapent sur des tambours étranges, poussent de petits cris non moins étranges et pincent du samsin (ça, c'est la guitare du lieu). Je m'arrête, tu serais capable de croire que «tout ça, c'est des blagues».

F. R.

Lettre à son frère Frédéric

Kioto, 3 nov. 76

Mon cher Frédéric,

Dans quelques jours je quitte le Japon pour la Chine. Je veux croire que tout va bien à la maison, les seules nouvelles m'ont été données par mère dans sa lettre – la seule reçue de la maison depuis le 27 août, jour d'arrivée au Japon. Peut-être qu'avant de m'embarquer cette semaine je trouverai quelque chose à Kôbé, port de départ – à moins que par suite du prolongement du séjour japonais je ne trouve les lettres qu'à Shangaï. Santé bonne, malgré que l'estomac ait de rudes choses à soutenir de la part de notre cuisinier japonais et des maisons japonaises, qui ont des portes et des fenêtres en papier – ça, c'est pour la poitrine. A tout cela je résiste fort bien. Riberolles avait raison, il n'était que temps de voir ça : le vieux Japon s'écroule, la civilisation marche à grand pas, comme on dit, les lampes à pétrole, les gibus et les parapluies sévissent assez généralement. Mais la nature est là toujours. C'est elle qui tiendra le plus longtemps et elle est tour à tour grandiose et charmante, magnifique, en somme, mais lorsqu'on aura démoli les temples pour les reconstruire à la nouvelle mode elle sera bien gâtée. Je viens de faire le portrait du gouverneur de Kioto – qui a tout mis à notre disposition. Guimet est très content, il fait une collection énorme de faïences et une plus énorme encore de bon dieux cocasses. En ce qui concerne la mission scientifique, succès complet, autant qu'il est permis d'en juger. Tout ce qu'il était possible d'espérer en fait de renseignements, nous l'avons obtenu jusques et y compris les mystères défendus au commun des mortels sur l'ordre du gouvernement japonais, les clergés de chacune des sectes boudhiques [sic] et shintoïstes se sont réunis en concile pour répondre aux questions systématiques de Guimet et cela a été l'occasion d'un déploiement de pompes religieuses des plus extravagantes : des danses sacrées, des musiques fantastiques. Le gouverneur se proclame libre penseur – il rit comme une petite folle chaque fois qu'il est question des bonzes et des dieux du Japon. Il envoie quatre jeunes Japonais à l'école franco-japonaise qui n'attend plus que le retour de Guimet pour se fonder à Lyon (le gouvernement japonais paye le voyage aller et retour). Guimet paye pour leur entretien pendant deux ans – tous de ces jeunes gens nous sont connus déjà. Deux d'entre eux nous servent d'interprètes depuis notre arrivée. L'idée de fonder une seconde école japonaise

en France – il en existe une déjà à Marseille et celle de Paris ne compte pas – est tout simplement géniale. C'est le moyen d'avoir sous la main des secrétaires pour ce qu'on aura à traduire du japonais, etc.

Guimet prend d'ailleurs les proportions d'un Bonaparte qui serait honnête – et moins les vices – car on peut encore avoir des vices et rester honnête.

J'envoie des dessins partout – à Paris par le canal de Hop [?], l'ami à Guimet – à Londres et à New York. Il finira bien par sortir quelque chose de substantiel de tout ce travail. Et toi, ça va-t-il un peu? Voilà que j'allais oublier de parler des deux malles que j'ai laissées à New York pour être envoyées à Paris : que sont- elles devenues? En supposant qu'elles aient été transmises et qu'on ait dû pour cause de douane forcer le cadenas d'une boîte en zinc étourdiment fourrée dans une de ces malles, j'espère que l'opération aura été faite avec toute la discrétion possible et qu'on m'aura réservé le plaisir d'en faire surgir les curiosités et autres dessins qui l'emplissent. Là-dessus, je te la souhette [sic] bonne et heureuse.

A bientôt et je signe

Journal de Félix Régamey, petit carnet

26 août 1876

C'est à devenir fou – penser que je suis ce soir à Yokohama avec l'océan derrière moi!

– arrêté sur le pont de bois peint qui résonne,

– au-dessous passent les bateliers – debout – nus, brisant avec leurs lourdes rames l'écaille mouvante et lumineuse des eaux du canal qui va se perdant dans la brume d'où surgissent les lourdes

silhouettes des bateaux amarrés le long des quais de pierre et des têtes de baigneurs à fleur d'eau, points d'ombre qui font une mince trainée de lumière empruntée à la lune,

– l'astre est écorné par un amoncellement de nuages gris clair et gris foncé les uns se détachant sur les autres – majestueux et positifs ainsi qu'une épaisse fumée d'incendie.

Un oiseau de proie plane la plume de l'aile écartée ainsi qu'un aigle héraldique et les cigales remplies d'allégresse font un grand vacarme.

Il y a un pêcheur à la ligne qui cause – une belle fille mise comme une princesse passe chantant pour l'enfant qu'elle porte sur son dos. Ses mots d'une suavité vibrante riche de son comme de l'italien et son rire clair! Sous la corniche des toits lourds et dans le monde des hommes qui traînent les chaises roulantes.

Voici les lanternes qui s'allument. C'est à donner envie de pleurer – Allons plutôt dehors.

27 août

Dès le second jour – un remord : j'ai laissé échapper de mes mains le plus bel album japonais du monde – rempli de combats inouïs aux couleurs les plus invraisemblables le propriétaire l'aurait bien échangé pour dix sous. C'était un enfant – et c'est là mon excuse – de ceux qui m'entouraient pendant que je copiais un temple de bouddha qui est tout à côté de chez moi – après déjeuner chez un ami, parcouru Paris à l'eau forte!

Tard dans l'après midi – promenade aux environs parmi la verdure et les fleurs culture de riz, les nudités les plus chastes se découvrent à chaque pas – un tout jeune enfant avec un grand parapluie de papier orange déployé dans les mains – plus loin une famille entière jeune mère jeunes filles se livrant aux ablutions du soir devant leur porte, séparées du chemin par un étang plein de lotus roses et blancs, plante sacrée merveilleuse de beauté.

Puis dans la vallée des fumées bleues qui traînent lentement. C'est bien le paysage que les artistes japonais nous ont fait connaître; voici les pins tordus et les arbres grêles, les bambous élégants et les roches capricieuses.

Pour finir, le Fusyihama qui daigne se montrer en cravate blanche – de nuages.

28 août

Le petit chemin de fer de Yokohama à Yeddo met une heure pour accomplir le trajet. Ici les employés, comme les soldats et les policemen, sont habillés à l'Européenne – Hélas!

Parmi toutes les beautés rencontrées que choisir? La charrette attelée d'un buffle noir abrité du soleil par une natte de bambou – qui semble la voile d'une jonque.

Le magasin de jouets d'enfant– ingénieux, si drôles, innombrables.

Les marchands de curiosités à damner bien des collectionneurs. Les chiens cocasses, les chats sans queue, charmants. Arrêtons nous ici, devant cette boutique, au fond nous verrons deux jeunes filles, l'une donnant à l'autre une leçon de musique – accroupie en se faisant face. Un petit banc les sépare où est posé le cahier de musique où celle qui tient le samsin – la maîtresse – trouve la chanson qu'elle chante avec des inflexions de voix grave roucoulant glapissantes parfois – avec quel sérieux la leçon est donnée et prise! Ou bien encore et surtout entrons dans cette maison de thé dont la terrasse plonge dans un étang couvert de lotus odorants,

nous serons reçus par Mlle Sayo–nara qui avant de nous servir dans une tasse microscopique le thé traditionnel nous aura fait prendre une décoction de fleurs de cerisier conservée dans le sel et offert, après les avoir bourrées et allumées elle-même, de petites pipes de métal – et lorsqu'elle se lève et se penche sur la balustrade et frappe dans ses mains pour appeler les poissons à qui elle vient de jeter des gateaux, quelle grâce naïve et quel éblouissement. Visite aux temples. La promenade de l'arche par le peuple. Retour à Yokohama. Visite du quartier des filles.

29 août

Le démon du bibelot a triomphé.

– payé cet après midi – cinquante sous – un petit pot en bronze qui vaudrait dix F à Paris et un nécessaire de peinture à l'encre de Chine.

Un ouvrage sur le Japon qui pourrait se diviser ainsi : 1ere Partie – le bon Japonais (autant de volumes qu'on voudra). 2e Partie – le mauvais Japonais (une page ou deux avec les marins européens à cheval, les modes européennes, la fumée, quelques odeurs de mauvaise graisse et autres, les fruits sans saveur, et c'est tout).

30 août

Tailleur chinois.

2 sept

9 h 35 train pour Yeddo – La grue britannique et solitaire.

Sale fumée! sale charbon! dit un Français à casque qui déjeune chez M. le Ministre.

– Visite à Matsmoto – Grande maison japonaise.

3 sept. Dimanche

– Assaksa

– Yeddo – les temples – Chiba– le palais – les soldats en costume de toile blanche, l'exercice dans la cour. Fantassin. Lanciers (cavaliers de la garde) – Le restaurant des *Fleurs de la lune* – Grille en bois – petit jardin devant la façade – à la porte.

Prosternements des deux femmes accroupies en haut des deux marches de pierre, une en bois – on ôte ses chaussures.

– le bain – grande baignoire en bois eau chaude – petite, froide – plancher de bois de la petite chambre, deux marches plus bas que le corridor qui y donne accès,

– baigneur qui vous frotte avec un linge,

– jeune fille qui vous revêt du peignoir et qui vous évente pendant que vous achevez votre toilette dans un coin de la chambre où se trouvent peigne et brosse – escalier raide qui conduit à l'étage supérieur où a lieu le dîner.

– arrivée des deux chanteuses – prosternement.

– on leur offre à boire le saki dans sa tasse qu'on rince dans un bol d'eau préparé à cet effet.

Tokyo. 28 sept.

Kio Say est venu ce matin apporter la première peinture qu'Emile lui avait commandé il est accompagné de son élève porteur d'un petit paquet – les salutations d'usage, profonde de son côté sont échangées le dessin ou plutôt la peinture sur soie est extraite d'un étui en bambou sculpté, fendu en deux, à charnière.

Carnet de voyage : Tôkaidô

[I]

3 octobre 1876 – Départ de Yokohama – 2h. P.M. – Emile, moi, les deux interprètes Condo et Outahara – Gilo domestique – deux voitures de bagages – huit sen par Ri – trois relais – au second rencontré deux époux faisant leurs visites de noces.

Dîner et coucher à Fushisawa – soleil couchant charmant dans le village – la jeune artiste servante d'auberge qui dessine des mousmés (O Hana la fleur de maison de la Tortue) (jeune personne)

– très agaçante

– Première rencontre : deux pélerines – l'une vieille – l'autre jeune – le voyage de la vie allégorie vivante plus loin, un mariage – autre allégorie qui fait songer le passant au foyer absent – et pourquoi toujours s'agiter le bonheur qu'on va chercher si loin.

– lourds toits de chaume dormant couronnés d'iris – la voiture de la poste traverse au grand trot le village émissaire de la civilisation moderne qui s'éveille.

[II]

4 oct. Levé à 5 h – le réveil du village – «A l'heure où les chiens dorment encore» etc, – Croquis au cimetiere du temple voisin – forêt de bambous, froides pierres – En route, même ordre qu'hier – jusqu'au déjeuner à 2h. P.M. – trop tard pour mon estomac – et après avoir traversé les deux grands bras de la rivière – Baniou–gawa – Ascension dans la direction d'Aconé – à pied* – un cheval pour les bagages et un cango dont on use guère** – Splendide paysage – Mer à l'horizon.

Inscription à l'encre de Chine sur les rochers lisses qui bordent la route par les voyageurs.

Nuit venue – on allume des torches de bambou – lever de la pleine lune à la descente – dans les grands arbres – idéal – le muletier ivre qu'on laisse en route – Arrivé à 8 h assez fatigué.

*Tel le condor
Prend son essor
Vers des cîmes
Sérénissimes
Condo plein d'ardeur
Bravant la chaleur
Laisse loin derrière
Lui...

** La chaise à porteur japonaise – faite de bambou à l'exception du lourd bâton rond qui la supporte – pliant sous le poids du voyageur plié en trois ou quatre qui l'occupe – l'épaule des porteurs plissée meurtrie, tannée, bleue – lorsqu'ils s'arrêtent, tous les quinze ou vingt pas pour en changer – le tremblement de leurs muscles et leur respiration haletante communiquent un frisson à toute la machine... Ceci n'exclut pas la bonne humeur, qu'un pas difficile se présente – les mots d'encouragement entrecoupés de gémissements très doux s'échappent en mesure des deux poitrines, saccadés susurés, à bouche fermée.

C'est la plus horrible façon d'aller qui soit au monde.

[III]

5 oct. Quitté Aconé à 8 h.matin – Course à pied, monter, descendre – ereinté – le gamin qui conduit le cheval de bât se distingue par sa mauvaise volonté – déjeuner à Michima – épatement des populations de l'auberge assemblées pour nous voir manger – un acteur malade nous fait demander quelque chose de réconfortant – on lui donne du vin

Départ à 1 h 45. Arrêté par trois policemen pour passeports – politesse exquise salut militaire.

Trois rivières – les dernières inondations ont fait sauter tous les ponts – à la dernière aucun passeur ne se présente – pendant 20 m on hèle – la lune se lève derrière la montagne contemplant notre détresse

La fièvre me prend pendant qu'on se demande si l'on sera forcé de coucher dans le lit de cailloux de la rivière – enfin un hôtelier de l'autre rive répond à notre appel.

– Arrivé à Kambara à 9 h, couché sans manger – Malade – Pas dessiné aujourd'hui, trop de fatigue.

[IV]

6 oct. Quitté Kambara à 8 h 15.

Jinrikichas – route suivant le bord de la mer – toujours très beau.

Déjeuné à Sizouoka – Tunnel (?)

Grand débat au sujet des Jinrikis – on part à 4 h après une visite au soi disant temple de Taïcoun dépourvu d'intérêt.

[V]

7 oct. Quitté Fusy–Isda à 7 h du matin – route caillouteuse assez plate – bordée de grands arbres – à 9 h moins 10 traversé l'Oï–gawa, rivière à bac – grande marge de cailloux toujours.

A 10 h en sortant de Kanaya entré dans la montagne avec deux chevaux pour bagages – pierre sacrée – vieilles pélerines recueillant dans du papier un peu de la terre qui y touche – charme pour empêcher les enfants de crier la nuit – emplacement d'une fête religieuse Sintoïste – terre plein d'où vue magnifique des couronnes de fleurs artificielles accrochées au-dessus des portes indiquant qu'on a dansé – ces attributs étant d'usage en pareille circonstance.

Midi – déjeuné à Nissaka. Fête champêtre Bouddhiste – les marchands autour du temple – paillasse – lanterne magique – jouets, gateaux – le pauvre village des tresseurs de sandales de paille.

Vers 5 h encore une rivière à passer – Sable et cailloux.

Coucher de soleil magnifique – de larges bandes de vapeur bleue rasant les plaines et coupant les arbres.

Arrivé à 7 h à Hama Matsu – La ville des aveugles – très avant dans la nuit le bruit de leur double sifflet nous empêche de dormir.

Hotel neuf – vieilles servantes.

[VI]

8 oct. Quitté Hama Matsu à 7 h matin – à 10 h traversé la baie d'Araï – ce qui demande une heure – Déjeuner à Fouta–Gawa – rivière – Village de pêcheurs – assez cossu – Maisons hermétiquement fermées – provision de bois de chauffage – A 8 h du soir – arrivé à Okasaki – caractère particulier des maisons – Goutières de bois, carrées – projetées obliquement du toit jusqu'à terre – Chateau fort dévasté – les lourdes pierres des murailles, servent sans doute pour les écoles – Vu le matin du septième jour en partant.

– Teinture des laines –

[VII]

9 oct. La nuit a été des plus orageuses – mille bruits divers – cliquettes de veilleurs – Carrousels de rats.

Nagoya 11 h et demi du matin – Toilette des femmes, élégantes – Leçon de danse.

– Acheté les livres de dessins du fameux Okou Say – Temple de Higachi Honganzi – les deux bonzes balayeurs de tampos [?] devant l'autel doré – Le fou artiste qui veille à ce que les gens ne m'approchent pas de trop près pendant que je dessine dans la cour du temple; à joindre à l'enfant d'Asakousa qui remet en place la main du dieu de bronze à la servante d'auberge dessinant des mousmés au marchand qui dessine la plante sur le sac qui contient les graines au Jinriki dessinant sur le sable le grand Daybouts – à Gilo le cuisinier caricaturiste, etc.

– Bibelots achetés après dîner aux étalages de la rue.

– Zingou le Dieu qui aime les poules.

Les œuvres d'Okou Say

1 Mangwa ou Manga	14 vol.	12 sen le vol.
2 Linga	1 id.	
3 Gafou	3 id.	
4 Gazou	1 id.	
5 Gakan	1 id.	
6 Enseignements	1 id.	30 sen
7 Conseil aux femmes	(1 fort vol.)	
8 Les cents aspects du FusyYama	3 vol.	15 sen

Théâtre de Kouana – *Le Grand Voleur* – Prologue

Une belle-mère et son fils – Elle coud – l'enfant apporte du thé – trébuche – renverse sur l'ouvrage de la dame – il est maltraité – entrée d'un soupirant – (qu'on évincerait s'il n'était pas en possession du secret de la maison) – libertés prises, rendez-vous fixé – sortie des deux personnages – monologue de l'enfant – il veut fuir la maison – est arrêté à la porte – où son père qui rentre le trouve – scène pathétique entre le père et l'enfant qui cherchent à se donner le change mutuellement sur l'état de leur âme – ils s'aiment profondément – l'enfant consolé – le père sort pour une expédition et vient lui laisser l'enfant.

Entrée du père de la femme; il est reçu par sa fille – brutal il demande de l'argent – dialogue animé – se fait préparer un lit et commande à sa fille de lui laver les pieds et de le masser.

Ils vont dans une chambre voisine – entrée de l'enfant qui entend la voix d'un homme dans la chambre de sa belle-mère – la tue à coups de sabre – croyant qu'elle est avec un amant – retour du père – explication pathétique – mort de la dame – après une longue agonie sur la scène – ne voulant pas que son fils soit dénoncé le grand voleur tue le vieux – éteint la lumière – est prêt à s'enfuir de sa maison avec son enfant cette fois c'est l'amant qui entre avec précautions.

Dans l'ombre il tombe, frappé, sans pousser un cri.

Le rideau est tiré –

Acte 1er – 1er tableau – une muraille – la scène des Norimons – récit sur le sabre de l'enfant – Sortie du norimon – Un officier 8 gendarmes mis en fuite par le héros toujours avec son fil.

Rideau vert – 2e tableau –

Le ballet des gendarmes – le combat à l'échelle – Posant son sabre par terre et le pied dessus – pendant qu'il boit près du puits – (Scène splendide)

A la fin, voyant son fils qu'on a pris – lié et emmené par des gardes – il se laisse lier à son tour.

[VIII]

– Nagoya, 10 oct. Le chateau, répétition en moindre de celui de Tokio – célèbre, grand caractère –

– Bandes de petites joueuses de Samesin.

– Jeune acteur ambulant avec deux petites filles – actrices également.

– Les colombes de Hakkei, grand artiste – peintes sur les panneaux de l'hôtel – (Le joli petit bonze).

De 5 h à 7 h en bateau – (La grue et les corbeaux).

Arrivé à Kouana après dîner.

VIII Kouana

Départ le lendemain par la pluie l'arrivée nuit noire.

Tout ce qu'on a pu voir du pays jusqu'à midi le lendemain.

Le départ, pluie battante.

Le thé des Jinrikis – nus – servante habillée.

[IX]

11 oct. Quitté Kouana par la pluie – à Yokkaiti province d'I. à 11 h du matin – petit fabricant de faïence, on fait des affaires avec deux marchands qui expédiront à Yokohama – C'est à partir d'aujourd'hui que les policemen d'escorte commencent à sévir.

– Jinriki orphéoniques – «Ohé cora! «Ah le cochon!» etc.

A 5 h et demi Sirroco – dîner – soirée gaie – la marchande japonaise –entre interprètes – et les ombres Chinoises.

Le renard – Le fusil – Le maire – La pierre – Les ciseaux – Le papier de Gonarabé ou Gomoku Narabe.

Et ça finit par des parties invariablement gagnées par Gilo.

(Jeux en pierres blanches et noires – (18x18 = 326 carrés).

[X]

12 oct. Départ de Sirroco à 7 h et demi matin – 5 ris en 2 heures.

Bien marché – jusqu'à Tsou – deux hommes par voitures – l'une avec le père

et ses deux garçons, onze ans environ.

Les populations sont de plus en plus épatées.

– Arrivée à Yamada le soir avant la nuit.

– Séance de Danse après le dîner dans un grand établissement bizarre.

Quelque chose comme *Mille et une nuits* Japonaises.

– Dans un petit salon où nous attendons que les danseuses soient prêtes – Plantes peintes sur panneau splendidement – portant cette indication : «Dessiné sur commande au milieu de l'automne par To–zan.

Sauvons de l'oubli le nom de ce grand artiste.

[XI]

13 oct. Yamada. Les toits moyen âge – à hauts pignons –

Les filles bizarrement coiffées – *à l'Enfant d'Edouard* – les savetiers parias.

Au temple Sintoïste le matin –

Aux rochers sacrés dans l'après-midi – jusqu'à la mer – rizières –paysannes superbes – Millet–Raphaël –

XII Yamada (suite)

14 oct. au temple ce matin – Danses sacrées – Dessiné d'après nature

Les bonshommes Sintoïstes – Chevaux sacrés – etc. – Singes-chèvres à la porte des marchands de bibelots religieux – Quitté la ville à 2h P.M. pour Kiotto.

L'auberge à la biche attachée au bord du chemin.

[XIII]
15 oct.

[XIV]
16 oct.
Déjeuner au bord du lac Biva
Arrivé à Kiotto le soir.

La Polémique Loti Régamey

*Pierre Loti est déjà un écrivain célèbre (*Le Roman d'un spahi *date de 1881) lorsque le 8 juillet 1885 il débarque à Nagasaki - parce que son navire doit faire relâche pour réparer. Il y «épouse» une Japonaise de dix-huit ans (lui en a trente-cinq), Okané-San. Quand, le 12 août, son navire est réparé, Loti repart, – sans regret apparemment. Et l'année suivante il écrit* Madame Chrysanthème, *roman de l'ennui et de l'incompréhension.*

Madame Chrysanthème

Nous sommes allés aujourd'hui chez le photographe en renom, Yves, ma mousmé et moi, afin de poser en groupe. Nous enverrons cela en France. –Yves sourit déjà en songeant à l'étonnement de sa femme quand elle apercevra ce minois de Chrysanthème entre nous deux, et il se demande ce qu'il pourra bien lui conter en matière d' explication :
– Mon Dieu, je dirai que c'est une de vos connaissances, voilà tout!

Au Japon, il y a des photographes dans le genre des nôtres; seulement ce sont des Japonais, habitant des maisons japonaises. Celui qui aura l'honneur aujourd'hui, opère au fond de la banlieue, dans ce quartier antique de grands arbres et de pagodes sombres où j'avais rencontré l'autre jour une mousmé si jolie. Son enseigne se lit en plusieurs langues, plaquée sur un mur, au bord de ce petit torrent qui descend de la verte montagne traversée par des ponts courbes en granit séculaire et bordé de bambous légers ou de lauriers-roses en fleurs.

Cela étonne et cela déroute, un photographe niché là, dans tout ce Japon d'autrefois.

Précisément on fait queue à sa porte aujourd'hui; nous tombons mal. Il y a toute une file de chars à djin qui stationnent, attendant des clients qu'ils ont amenés et qui passeront avant nous. Les coureurs, nus et tatoués, peignés correctement en bandeaux et en chignon, font la causette, fument des petites pipes, ou rafraîchissent dans l'eau du torrent leurs jambes musculeuses.

La cour d'entrée est une irréprochable japonaiserie, avec des lanternes et des arbres nains. Mais l'atelier où l'on pose pourrait être aussi bien à Paris ou à Pontoise : mêmes chaises en «vieux chêne», mêmes poufs défraîchis, colonnes en plâtre et rochers en carton.

Les personnes que l'on *opère* en ce moment sont deux dames de qualité (la mère et la fille, cela se devine), qui posent ensemble, en carte-album, avec des accessoires Louis XV. Les premières grandes dames de ce pays que j'aie vues de si près, un groupe bien étrange : longues figures de la classe noble, atones, anémiques, bleuâtres à force de poudre de riz, avec la bouche peinte en forme de cœur, au carmin pur. Du reste, une distinction incontestable, qui s'impose même à nous, malgré la différence profonde des races et des notions acquises.

Elles toisent Chrysanthème avec un assez visible dédain bien que sa toilette soit aussi comme il faut que les leurs. Et moi, je ne puis me rassasier de regarder ces deux créatures; elles me captivent comme des choses jamais vues et incompréhensibles. Leurs corps frêles, posés avec une grâce exotique, sont noyés dans des étoffes rigides et des ceintures bouffantes dont les bouts retombent comme des ailes fatiguées. Elles me font penser, je ne sais pourquoi, à de grands insectes rares; sur leur vêtements, des dessins extraordinaires ont quelque chose de la bigarrure des papillons nocturnes. Surtout, il y a le mystère de leurs tout petits yeux, tirés, bridés, retroussés, pouvant à peine s'ouvrir; le mystère de leur expression qui semble indiquer des pensées intérieures d'une saugrenuité vague et froide, un monde d'idées absolument fermé pour nous. – Et je songe, en les dévisageant : comme nous sommes loin de ce peuple japonais, comme nous sommes de race dissemblable!...

Il faut laisser passer ensuite plusieurs matelots anglais arrivés avant nous, bien pomponnés dans leurs vêtements de toile blanche, bien frais, bien gras, bien roses comme des bonshommes en sucre, qui posent avec des airs niais sur des fûts de colonnes.

Notre tour vient enfin; Chrysanthème s'arrange avec lenteur, d'une manière très cherchée, tournant le plus possible les pointes de ses pieds en dedans, à la façon élégante.

Et, sur le cliché qu'on nous montre, nous avons l'air d'une petite famille bien ridicule, alignée devant un photographe de foire.

Pierre Loti
Madame Chrysanthème
chap. XLV, 1885

Lettre de Loti au Lieutenant Marcel Sémézies

Nagasaki, faubourg de Djiou-Djien-Dji, 23 juillet (1885)

Mon cher lieutenant, il y a une éternité que j'ai l'intention de vous écrire [...]. Un peu de calme depuis une quinzaine de jours, sur des nattes blanches, dans une petite maison de papier, parmi les jardins et la verdure. C'est à deux ou trois cents mètres de haut sur la montagne, et Nagasaki s'étale au loin sous mes pieds, avec ses marchés, ses bazars et ses temples.

J'ai épousé la semaine dernière pour un mois renouvelable, devant les autorités nippones, une certaine Okané-San qui partage mon logis suspendu. Vous avez déjà vu sur tous les éventails cette figure de poupée, des épingles piquées en soleil dans les cheveux, et cette tunique collant au bas des jambes avec une traîne en queue de lézard. Notre logis n'est meublé que de petits paravents, de petits tabourets bizarres où reposent des vases de fleurs. Avec cela un grand bouddha doré sortant d'un lotus. De notre balcon la vue est incomparable.

Nous ne descendons que le soir, par des sentiers de chèvres pour aller nous amuser en ville dans les bazars, les maisons de thé et les théâtres. Sur les minuit, nous remontons au logis, avec des lanternes au bout de longs bâtons. Chez nous la lampe brûle toujours devant le Bouddha souriant, les moustiques dansent des rondes autour avec les papillons de nuit. Par précaution contre ces bêtes, nous nous enveloppons pour dormir dans un velum de gaze bleue.

Je parierais qu'à distance ces choses vont vous charmer. Eh bien! moi, elles m'assomment. J'ai beau faire, je ne puis me prendre à ces figures de paravent, à ce Japon maniéré et bébête. Tout cela me semble une pitoyable comédie, et quand je suis seul avec ma femme devant ce panorama de montagnes et de pagodes, je m'ennuie à pleurer [...]

Mon papier est très élégant, notez cela, et choisi par Okané chez les plus fashionables vendeurs.»

Pierre Loti

En 1894, paraît, à la Bibliothèque artistique, un petit livre, Le Cahier rose de Mme Chrysanthème, signé Félix Régamey. Régamey avait visité le Japon en 1874 en compagnie d'Emile Guimet (le futur fondateur du Musée qui porte son nom) dont il avait illustré l'ouvrage Promenades japonaises paru l'année suivante. Le livre de Régamey comprend d'abord une attaque violente contre Loti (à l'occasion, peut-on supposer, de la republication de Madame Chrysanthème par Calmann Lévy en 1893) puis un «Cahier rose», c'est-à-dire le Journal de l'héroïne, par quoi Régamey entend démontrer que Loti est resté totalement aveugle et sourd à celle auprès de qui il a passé ces quelques semaines. Dans ce

brillant exercice de récriture, Régamey donne la parole à l'Autre, nous fait entendre ces «vibrations» que le «mélancolique, le lamentable ami de Madame Chrysanthème n'avait pas su capter.

Bruno Vercier,
Préface *à Madame Chrysanthème*

Le cahier rose de Madame Chrysanthème

4 août – La nuit, nous sommes tourmentés par les insectes ailés; la lumière des lampes, qui brûlent auprès de Benten, les attire dans notre chambre, et je fais tout ce que je peux pour les chasser. Je les supporterais bien, y étant habituée – ils sont même quelquefois très jolis à voir voltiger autour de la moustiquaire – mais je veux calmer Pierre que ces bestioles irritent.

Je m'aperçois que bien des choses lui déplaisent et je ne saurais dire si rien de ce qui nous entoure l'intéresse. Je commence à en éprouver un profond malaise...

10 août – Je n'osais pas me l'avouer; il s'ennuie. C'est un grand chagrin pour moi qui n'ai cessé de me mettre à ses pieds et de lui offrir le meilleur de moi, ainsi que cela se doit, d'ailleurs. Hélas, nous ne nous servons pas du même langage! J'ai fait demander un dictionnaire; je l'attends; il m'aimerait peut-être mieux, si je pouvais lui parler et si je pouvais l'entendre. Je voudrais apprendre le français en cachette pour lui faire une surprise; le secret de mes études serait peut-être difficile à garder, n'importe! Je meurs d'envie d'essayer.

11 août – Ce sont les araignées maintenant qui l'horripilent!

12 août – Il prend des notes parfois sur un petit carnet, mais il ne lit jamais, du moins je ne lui ai jamais vu un livre dans les mains, pas même un journal.

Et moi qui aime tant la lecture, je ne puis m'y livrer que lorsqu'il n'est pas là.

Il paraît insensible à la vue des plus charmantes choses.

Décidément tout l'ennuie.

Je n'ose plus lui faire admirer mes bouquets. Il renifle parfois, en faisant une vilaine grimace; le parfum subtil et fin, dont tout ici est imprégné, lui déplaît, – il n'est pas en mon pouvoir d'y rien changer, – et c'est de l'air le plus dégoûté du monde qu'il repousse la petite pipe d'argent que je lui présente pour qu'il fume avec moi. C'est un plaisir bien innocent; je devrai peut-être m'en priver.

Jusqu'aux plats qu'on me sert, qu'il persifle – et ses yeux prennent une expression funeste, quand Yves, gaîment, tourne autour de moi comme un gros chien, et que je le fais manger avec mes baguettes d'ivoire – jeu d'enfant auquel il se prête volontiers.

Que se passe-t-il dans le cœur de Pierre?

Je voudrais savoir. Dans mes insomnies, je vois un mur s'élever entre nous. Que vais-je devenir si cela continue ! Je crains de n'être pour lui qu'un accessoire insignifiant. M'a-t-il jamais demandé si je l'aimais, ou seulement si je pourrais l'aimer un jour! Un jour… il s'en ira, bien loin, et je ne le reverrai plus jamais, et tout sera fini!

18 août – Il n'a qu'un sourire railleur pour tous les petits objets en papier que je sais si bien faire; des oiseaux, des fleurs, des arbustes… Ma musique l'agace; une seule fois, il a paru y prendre plaisir : Oyouki et moi nous étions mises à travailler sérieusement.

Je lui apprenais des airs de jadis. Nos deux *samisens* vibraient. Je chantais la ballade du «Lotus expirant au bord du lac desséché». Les paroles de cette chanson me labouraient le cœur et je l'achevai dans un sanglot. […]

FÉLIX RÉGAMEY

Le Cahier Rose

de

Mme CHRYSANTHÈME

PARIS
BIBLIOTHÈQUE
Artistique & Littéraire
31, rue Bonaparte
1894

De nombreux et remarquables travaux ont été publiés sur cet empire, en Angleterre principalement. En France, nous avons ceux de Monsieur Pierre Loti, l'ingrat, le déplorable ami de Madame Chrysanthème. Son parti pris incompréhensible de dénigrement est bien fait pour confondre l'esprit de quiconque a pratiqué le Japon autrement que ce marin. Il n'a fait que l'entrevoir du pont de son navire, et il le définit ainsi : «cette étonnante patrie de toutes les saugrenuités!!!»[…]

Le Japon, qui compte en France des admirateurs passionnés, n'avait point encore, parmi ses très rares détracteurs, un personnage de la taille de M. Pierre Loti – officier de marine, littérateur – et quel! – peintre miniaturiste, d'une grâce féminine, décorateur d'éventails pour le grand monde, il est écouté et on le croit sur parole, quelles que soient les variations qu'il lui plaise de broder sur des sujets entrevus. Cependant l'observation d'escale a ses périls et prête à bien des défaillances. La déception sentimentale qui nous est confessée dans «Madame

Chrysanthème» n'est peut-être pas étrangère non plus aux allures méprisantes qu'affiche libéralement, pour ce pays si beau, et pour ses habitants, l'historiographe patenté des faciles beautés exotiques.[…]

De ce Japon, ceux qui l'ont bien vu et qui ont su l'apprécier, ont rapporté de persistants souvenirs qui dominent et remplissent une existence entière. L'impression psychique se mêle intimement ici à la sensation physique, et le parfum poivré des îles de l'Extrême-Orient suit, au travers des mers, avec l'évocation des êtres et des choses, ceux qui s'en sont allés.

Et ils souffrent, à voir tacher d'une encre maussade les robes dorées ou fleuries des dieux et des femmes de là-bas.

Il est certainement bien à plaindre l'ami ennuyé de madame Chrysanthème d'être atteint de cette hyperexcitabilité douloureuse qui lui fait promener un spleen britannique à travers le plus riant pays du monde; c'est à cette infirmité qu'il faut attribuer «l'exaspération que lui cause la laideur de ce peuple» et qui lui inspire des appréciations dans le goût de celle-ci : «des gongs, des claquebois, des guitares, des flûtes; tout cela grince, gémit, détonne avec une étrangeté inouïe et une tristesse à faire frémir», et encore : «Passons vite, tout cela sent la race jaune, la moisissure et la mort».

Félix Régamey
Le Cahier rose de Madame
Chrysanthème, 1894

Le Japon est à la mode en musique aussi.
Le 30 janvier 1893 André Messager met
en musique le roman de Loti (sur un
livret de Georges Hartmann et André
Alexandre). Quelques années encore, et
Puccini allait livrer au public «Madame
Butterfly», au théâtre de la Scala.

Voici la fin de l'opéra de Messager, – en
tout point conforme au roman dans sa
brutalité.

Pierre, Chrysanthème, seuls en scène.

Chrysanthème
Je sais que vous partez…

Pierre
Allons, séparons-nous, ma petite mousmée,
Quittons-nous bons amis sans trop verser
[de larmes.
Mon séjour au Japon n'a pas manqué
[de charmes
Grâce à ton fin minois, souriant, parfumé!
  Tu m'as donné, ma pauvre
            [Chrysanthème,
  Le meilleur de toi-même :
  Ton sourire éternel,
Tes révérences et tes chansons matinales…
Va, je me souviendrai de toi, de votre ciel,
Du Japon, des jardins fleuris et des cigales
  Qui murmurent toujours!
  Adieu petite femme
  A nos courtes amours
Gardons une pensée en un coin de notre
            [âme…
  Adieu!…

Chrysanthème, silencieuse, s'abandonne à
Pierre qui la serre dans ses bras. Il va
pour s'éloigner, Chrysanthème veut
parler. Il revient vers elle. Chrysanthème
avec effusion, à voix basse
Pas encore… Au revoir!
Avant votre départ, viens m'embrasser
ce soir!
  Pierre l'embrasse une dernière fois et
s'arrache de ses bras.

Épilogue

En mer, deux heures du matin, ciel plein
d'étoiles. La passerelle d'un bâtiment de
guerre sur laquelle se tiennent Pierre et
Yves regardant au loin la ville dont on
perçoit encore vaguement les dernières
lumières.

Dans la hune du grand mât, la voix du gabier s'élève à travers le silence.

La voix du gabier
Quand les Bretons voyaient passer dans
[la campagne
Saint Yves revêtu de son vieux manteau
[gris,
Ils se disaient que Dieu l'avait mis en
[Bretagne
Pour défendre les grands, les faibles, les
[petits!...

Un court silence pendant lequel continue la symphonie.

Yves
Lieutenant...

Pierre, un peu sec
Yves?

Yves
Le Japon...Il est loin à cette heure. Les dernières lueurs s'éteignent lentement...

Pierre, sèchement
Oui!

Yves
Comment vous dites ça, lieutenant?

Pierre
Je le dis comme je le pense!

Yves
Et Chrysanthème?

Pierre
Chrysanthème! Je crois qu'elle te manquera plus qu'à moi.

Yves, peiné

Ah! frère, vous voila l'esprit encore plein de mauvaises pensées!

Pierre
Eh bien! soit! parlons-en pour n'y plus revenir! J'étais là...dans le jardin...
Je vous ai vus ensemble au moment du départ! Sous le feuillage, ta bouche effleurant son visage, tu buvais son regard...

Yves
Ah! ne connaissez-vous plus Yves? Avez-vous pu croire qu'il lèverait les yeux sur la femme de son lieutenant? D'ailleurs, la pauvre Chrysanthème vous aimait...
La preuve, la voici!

Pierre, prenant la lettre des mains d'Yves, railleur
Une lettre?

Yves
Quand vous serez parti, loin... bien loin, disait-elle, remets-lui cette lettre, elle lui dira bien naïvement ce que je n'aurais su lui dire tout haut... il n'aurait pas voulu m'écouter... ni me croire... il aurait ri, peut-être?...et j'aurais eu du chagrin!

Pierre ému, prend la lettre. il la déplie lentement, puis il la lit doucement.

«...Tu n'as pas cru à mon amour!...Fallait-il donc t'embarrasser d'une petite femme capricieuse, volontaire, comme le sont, dit-on vos femmes d'Europe, ce qui les fait paraître plus aimantes! Pardonne-moi cette audace, j'ai voulu garder une petite place dans ton souvenir... je n'ose pas dire dans ton cœur... je sais bien, hélas! qu'il n'a jamais été à moi! Tu l'as dit : je n'étais pour toi qu'une poupée, une mousmé... Mais si j'ai pu te voir partir le sourire aux lèvres... je veux que tu saches, quand tu seras loin, bien loin de moi... qu'au Japon aussi il y a des femmes qui aiment et... qui pleurent!...»

Yves
Eh bien, frère, je vous le disais bien... Là-bas comme chez nous, les femmes...

Pierre, ému
... sont toujours des femmes!

FIN

André Messager
Madame Chrysanthème, 1893

Le Japon inspire les artistes

Si le Japon fut bouleversé par le développement technologique de l'Occident, les artistes d'Europe et d'Amérique furent, eux, très affectés par la découverte d'une esthétique différente.

Le Japon à Paris

Le Japon nous emprunte nos arts mécaniques, notre art militaire, nos sciences, nous lui prenons ses arts décoratifs.

Si le moins du monde on se piquait de pédantisme, on pourrait écrire un mémoire solennel sous ce titre : *De l'influence du Japon sur l'art et l'industrie de la France.* Cette influence qui est considérable, manifeste, avouée et même proclamée avec une certaine ostentation dans nos industries du bronze, du papier peint, de la céramique, pour ne citer que les principales, s'est exercée d'une façon latente, plus voilée mais non moins effective sur certains peintres en possession de la faveur publique. C'est par nos peintres en réalité que le goût de l'art japonais a pris racine à Paris, s'est communiqué aux amateurs, au gens du monde, et par suite imposé aux industries d'art. C'est un peintre qui, flânant chez un marchand de ces curiosités venues de l'Extrême-Orient – que l'on confondait alors indistinctement sous le nom commun de *chinoiseries* – découvrit dans un récent arrivage du Havre des feuilles peintes et des feuilles imprimées de couleur, des albums de croquis au trait rehaussés de teintes plates dont le caractère esthétique – et par la coloration et par le dessin – tranchait nettement avec le caractère des objets chinois. Cela se passait en 1862.[...]

L'enthousiasme gagna tous les ateliers avec la rapidité d'une flamme courant sur une piste de poudre. On ne pouvait se lasser d'admirer l'imprévu des compositions, la science de la forme, la richesse du ton, l'originalité de l'effet pittoresque, en même temps que la simplicité des moyens employés pour arriver à de tels résultats. On enleva toute la collection à des prix relativement élevés. Ces feuilles en couleur, qui se débitent aujourd'hui par milliers dans tous les grands bazars du chiffon au prix moyen de dix centimes, coûtaient alors de deux à quatre et cinq francs. On se tint au courant des arrivages nouveaux. Ivoires anciens, émaux cloisonnés, faïences et porcelaines, bronze, laques, bois sculptés, étoffes brochées, satins brodés, albums, livres à gravure, joujoux ne firent plus que traverser la boutique du marchand pour entrer aussitôt dans les ateliers d'artistes et dans les cabinets des gens de lettres. Il s'est formé ainsi depuis cette date déjà lointaine jusqu'au moment présent de belles et rapides collections entre les mains de M. Villot, l'ancien conservateur des peintres au Louvre, des peintres Manet, James Tissot, Fantin-Latour, Alphonse Hirsch, Degas, Carolus-Duran, Monet, des graveurs Bracquemond et Jules Jacquemart, de M. Solon de la Manufacture de Sèvres, des écrivains Edmond et Jules de Goncourt, Champfleury, Philippe Burty, Zola, de l'éditeur Charpentier, des industriels Barbedienne, Christofle, Bouilhet, Falize; des voyageurs Cernuschi, Duret, Emile Guimet, F. Régamey. Le mouvement étant donné, la foule des amateurs suit.

Ernest Chesneau,
Le Japon à Paris,
Gazette des Beaux-Arts,
1er septembre 1878

Le Japon artistique

Cependant là n'est pas le but unique que cette publication se propose de poursuivre. Elle s'adresse tout particulièrement aux nombreuses personnes qui, à un titre quelconque, s'intéressent à l'avenir de nos arts industriels, à vous notamment, ouvriers modestes ou grands manufacturiers, qui avez un rôle actif dans cette partie de notre force productive. Dans les nouvelles formules d'art qui nous sont venues de la côte la plus extrême de l'Extrême-Orient, nous avons en effet à chercher quelque chose de plus qu'un régal platonique pour nos dilettantes d'humeur contemplative. Nous y trouverons des exemples dignes à tous égards d'être suivis, non certes pour ébranler les bases de notre vieil édifice esthétique, mais pour venir ajouter une force de plus à toutes celles que depuis des siècles nous nous sommes appropriées pour en étayer notre génie national.

Est-il surprenant que nos artistes et nos industriels se soient rués avec passion sur le filon nouveau? Malheureusement la précipitation fut telle, qu'elle aurait pu devenir fatale à la cause même qu'elle prétendait servir,. A défaut d'une orientation suffisante dans l'art nouveau, on en utilisa toutes les bribes éparses, bonnes ou mauvaises, selon que le hasard les fit tomber entre nos mains, et, ce qui est plus grave, on les appliqua sans mesure comme sans discernement. Aujourd'hui, le temps a calmé cet emportement irréfléchi, et le moment paraît venu de reprendre les choses en sous-œuvre avec la maturité d'une expérience acquise. Grâce à de patientes recherches, les plus beaux modèles de l'industrie japonaise ont pris en ces dernières années le chemin de l'Europe. Parmi eux, il faudra qu'on choisisse désormais ceux qui, à la saveur du terroir, joignent aussi la beauté éclectique qui n'a pas de patrie; on devra particulièrement s'attacher aux sujets qui s'adapteront sans effort aux exigences et aux coutumes de notre culture occidentale, évitant tout ce qui servirait simplement à provoquer une aveugle singerie ou d'humiliants pastiches.

S. Bing
«Programme»,
Le Japon Artistique,
n° 1, mai 1888

Van Gogh sous influence

[Arles, septembre (?) 1888]
    «Mon cher Théo,

… Je trouve *admirable* dans les reproductions de Bing le dessin du *brin d'herbe* et des œillets et le Hokousaï.

Mais, quoi qu'on en dise, les crépons les plus vulgaires colorés à tons plats pour moi sont admirables pour la même raison que Rubens et Véronèse. Je sais parfaitement bien que ce n'est pas là de l'art primitif. Mais parce que les primitifs sont admirables, c'est pas le moins du monde pour moi une raison de dire, comme cela devient une habitude : «Lorsque je vais au Louvre, je ne peux pas aller plus loin que les primitifs.»

Si on disait à un amateur sérieux de japoniaiseries, à Lévy lui-même : «Monsieur je ne peux pas m'empêcher de trouver admirables ces crépons à 5 sous», il est plus probable que l'autre serait un peu choqué et aurait pitié de mon ignorance et de mon mauvais goût. Absolument comme dans le temps il était de mauvais goût d'aimer Rubens, Jordaens, Véronèse. [...]

J'envie aux Japonais l'extrême netteté qu'ont toutes choses chez eux. Jamais cela n'est ennuyeux et jamais cela paraît fait trop à la hâte. Leur travail est aussi simple que de respirer et ils font une figure en quelques traits sûrs avec la même aisance comme si c'était aussi

simple que de boutonner son gilet.»

Van Gogh,
*Correspondance complète
de Vincent Van Gogh,*
Paris, Gallimard-Grasset 1960

L'Art occidental à l'école du Japon

Il est certain que nous assistons depuis quelques années à une modification profonde du goût en matière de décor. Nous voyons apparaître, soit dans le décor des tissus, soit dans les procédés appliqués à l'art céramique, soit même dans la peinture, des préoccupations nouvelles et comme une sorte de facteur indistinct et innommé d'émancipation, qui provient pour une grande part du Japon.

A ne prendre que la peinture, vous reconnaîtrez les signes indéniables de cette influence dans l'école dite impressionniste. Quelques-uns des protagonistes de cette école, et les plus grands de tous, Degas et Claude Monet, doivent énormément, ils l'avouent eux-mêmes, aux enseignements qu'ils ont reçus de   l'art japonais, notamment des admirables estampes de Hokousaï et de Hiroshige; Besnard, Whistler et bien d'autres, à l'étranger et en France, souvent sans le vouloir, ont subi l'influence, je ne dirai pas du goût, mais de principes qui sont l'essence de cet art; et cette influence a été bienfaisante et efficace. Elle nous a donné la pratique des tons clairs, le goût des simplifications, la hardiesse de certaines coupures absolument inédites dans la mise en page des tableaux. Il y a quelques années, on n'aurait pas osé couper certains sujets comme on le fait aujourd'hui.

Je parlais des tissus : il est évident qu'à l'heure actuelle les robes des femmes sont révolutionnées par

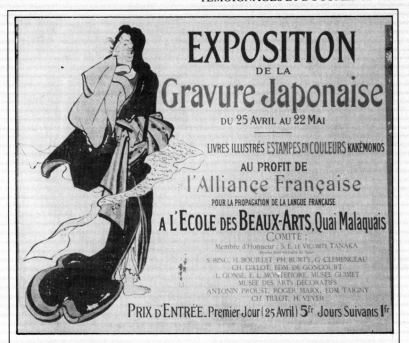

l'influence japonaise prise dans le meilleur sens. Les fabriques de Lyon et Roubaix ont cherché dans leurs dessins certaines formes nouvelles, certaines combinaisons géométriques ou autres qui ont certainement été *provoquées* par la vue des œuvres anciennes de l'art japonais. [...]

Dans le domaine de la céramique, l'influence de l'art japonais a pris des proportions extraordinaires. C'est une véritable révolution. Le Japon est arrivé à point pour nous sortir littéralement de l'ornière. Je ne parle pas seulement de la porcelaine, qui avait déjà produit chez nous sous l'influence de la Chine et du Japon des œuvres remarquables, mais qui, malheureusement, était restée dans un état d'infériorité et de stagnation complète durant le cours de ce siècle; je parle surtout et avant tout de la céramique de grand feu, de cet art du feu qui est l'art céramique par excellence : argiles dures, grès émaillés et flambés, etc., de cet art merveilleux et presque surnaturel dont les Japonais ont été les maîtres incontestés, qu'ils ont porté à ses derniers développements, dont seuls, peut-être, ils ont compris les ressources infinies, la véritable destination, et qu'ils ont révélé à l'Europe, attentive du premier coup au parti qu'elle pouvait en tirer.

Louis Gonse,
L'Art japonais et son influence
sur le goût européen
Revue des Arts décoratifs, avril 1898

Emile Guimet et les religions

En plus de la collecte systématique d'objets religieux, Guimet s'est livré à des enquêtes minutieuses, orales et écrites, des doctrines.

«Concile shinto» tenu dans le grand sanctuaire de Kitano Tenmangû à Kyoto, le 24 octobre 1876

D [Demande de Guimet] – Qui est-ce qui a créé le ciel et la terre?

R [Réponse de l'un des officiants] – Il y avait au commencement un dieu qui a créé deux autres dieux et à eux trois ils ont créé le ciel et la terre. Ensuite ils ont créé Isanagui le premier homme (Osiris) et Izanami la première femme (Isis). Ils eurent pour enfant la déesse Amaterassou qui est le soleil.

D – Quand le premier homme et la première femme vinrent le soleil n'existait donc pas?

R – On cause beaucoup, on se consulte

D – Quand le premier homme, etc.

R – Le soleil avait été créé avec le ciel et la terre. Amaterassou est la préposée au soleil, le ministre de cet astre.

D – Qu'arriva-t-il ensuite?

R – Alors, après plusieurs générations d'hommes naquit le dieu des céréales, la lune et autres petits détails.

D – Comment les premiers hommes faisait–ils [sic] pour se nourrir puisqu'ils n'avaient pas encore de riz, ni d'autres graines?

R – On cause énormément, on se consulte longuement, l'officier du gouvernement intervient et répond. Il est probable que tout a été créé d'abord, les dieux du soleil, de la lune, des céréales, du vent, etc. ne sont que de simples chargés de l'administration de ces choses.

D – Alors, ce ne sont pas des dieux créateurs?

R – Si, certainement ils ont pris part à la création.

D – Alors, le premier homme a eu des descendants qui ont créé des choses dont il a été privé.

R – On se consulte de plus en plus.

D – Alors, le premier homme, etc.

R – C'est un mystère incompréhensible.

D – Les dieux interviennent-ils dans les actes des hommes?

Manuscrit autographe d'Emile Guimet (bibliothèque du musée Guimet)

La visite du temple d'Asakusa (Tokyo) rapportée par un journal bouddhique japonais

Monsieur Emile Guimet, du ministère de l'Instruction publique, de Lyon, France, dont on entendait parler depuis quelque temps, rendit visite au supérieur du temple Sensô-ji, Yuiga Shôshun, le 24 du mois dernier, accompagné d'un peintre et d'un interprète, Kondo Tokutarô. En acceptant sa demande d'informations sur le sens de Kannon (Avalikitesvara) et sur les significations des trente-deux corps d'adaptation, le supérieur expliqua en détail depuis le sens de la compassion universelle de Kannon jusqu'à l'idée principale du Soûtra du lotus de la bonne Loi.

Aux questions posées sur chaque image peinte accrochée au mur, comme la vieille peinture de Çakyamouni sortant de la montagne et de Kannon ou le portrait du prêtre fondateur, Dengyô Daishi, il répondait minutieusement, ce qui ravissait le Français. Aussi, ce dernier parla de son projet de fonder, dans un proche avenir à Lyon, une école de bouddhisme pour laquelle il souhaitait accueillir les disciples du supérieur comme professeurs. Quant au peintre, pendant ce temps–là, il observa avec insistance le visage du supérieur et en une heure il réalisa un merveilleux portrait du supérieur Yuiga et lui en fit cadeau en témoignage de remerciement pour son accueil ce jour-là. Pourtant il paraît qu'ils visitèrent le temple avant cette date, le 22 et après le 27, en faisant des dessins du temple. De plus, ils achetèrent un nombre énorme de livres bouddhiques chez Asakuraya Kyûbei à Hirokôji. Comme ils se rendront en divers endroits bientôt, on espère bien qu'ils seront sans aucune encombre gentiment accueillis.

Meikyô Shinshi,
7 octobre, Meiji 9 (1876),
traduit par K. Omoto

A quoi peut servir un musée des religions?

A une époque marquée en France par les luttes entre l'Eglise et l'Etat qui aboutirent finalement à leur séparation en 1905, marquée aussi par l'essor de l'examen scientifique des origines chrétiennes et par l'essor de sectes théosophiques et autres, l'intérêt pour les religions, anciennes ou étrangères, n'était pas neutre et suscitait des polémiques.

Un musée des religions à Paris? Pour quoi faire?

Extraits de la délibération du conseil municipal du 16 mars 1885 portant sur le vote d'un crédit de un million de francs pour l'achat d'un terrain où serait édifié le musée Guimet.

M. Hattat, rapporteur. – [...] A une époque où les études historiques et de critique religieuse prennent un développement de plus en plus grand, et qu'il est intéressant d'encourager, car elles éclairent d'une vive lumière ces religions de l'Extrême-Orient, dont le christianisme a emprunté les principes et même les rites, cette installation mettra à la disposition du public une riche bibliothèque spéciale, des collections uniques au monde, comme mes collègues pourront s'en convaincre en parcourant le catalogue du Musée Guimet. [...]

M. Cattiaux. – [...] Tout en trouvant l'offre de M. Guimet très généreuse, je

2   PARIS — Musée Guimet. — Bibliothèque.

pense que nous avons mieux à faire que de consacrer un million à l'installation d'un musée de superstitions. [...] Les religions et leurs fétiches devraient être enterrés depuis longtemps; il y aurait moins de sottises et moins de guerres.

M. Monteil. – Nous avons, Messieurs, le plus grand intérêt à accepter l'offre généreuse de M. Guimet. M. Guimet a rassemblé une collection unique et excessivement précieuse. Je suis loin de partager l'opinion émise par M. Cattiaux; car, en venant parler comme il l'a fait, il s'est prononcé, sans le vouloir, contre les intérêts de la libre-pensée; car il est très utile pour la libre-pensée d'avoir à Paris ce musée, qui est fort bien nommé Musée des Religions, et où tous les dieux, les anciens et les modernes, se regardent comme des augures. (Très bien)

Croyez-vous qu'il ne sera pas d'un grand enseignement et d'un grand exemple de réunir dans un musée tout ce qui a été offert à la superstition des hommes depuis les temps les plus reculés jusqu'à nos jours? Croyez-vous qu'il ne sera pas curieux de voir Isis coiffée du pschent, la première forme de notre immaculée conception, à côté même de cette Immaculée Conception?[...]

M. Jacques. – Je reconnais qu'il y a grande nécessité de combattre les superstitions; mais il y a des moyens plus sûrs et plus efficaces que celui qui nous est proposé pour arriver à ce résultat. Un musée tel que le Musée Guimet servira plutôt à certains esprits éclairés qu'à la masse de la population. [...] Il [l'Etat] doit être anticlérical, tout comme la ville de Paris. Qu'il le montre en cette circonstance.

M. Hubbard. – [...] C'est une illusion de croire que l'installation à Paris du Musée Guimet sera utile pour la propagation des doctrines de la libre-pensée. On a pu faire, en effet, cette curieuse observation sur l'état successif des personnes qui se livrent à des études approfondies et exclusives des religions passées. Au premier abord, elles croient se livrer seulement à la recherche des matériaux destinés à combattre les superstitions contemporaines; puis souvent elles s'éprennent de ces civilisations, de ces mythes, de ces dogmes, et elles arrivent à ces conclusions opposées à leur point de départ et aux idées qui les ont animées. Elles se laissent entraîner à justifier la nécessité des cultes, du sacerdoce et des doctrines religieuses, en dehors du terrain de la science et de la philosophie. Ce n'est pas par l'étude de ces civilisations antiques qu'on fera des libres-penseurs; il faut pousser les esprits à regarder en avant plutôt qu'en arrière.

M. Millerand. – [...] Je dirais presque, si je ne craignais d'aliéner au projet les voix de nos collègues de la droite, que ce n'est pas seulement d'un encouragement à donner un haut enseignement qu'il s'agit, mais d'une œuvre de combat et de propagande à créer. [...] Placer sous les yeux du public le passé des religions disparues, c'est le meilleur moyen, à mon sens, de faire une guerre efficace aux religions actuelles.

M. Gaufrès. – La ville de Paris a tout avantage à s'assurer la possession de ce musée, non pas au point de vue d'une polémique religieuse, mais au point de vue de la science. [...]

M. Cochin. – [...] Je tiens à dire ceci, en mon nom et au nom de mes amis qui partagent mes sentiments religieux, que toutes ces considérations nous touchent peu. Nos convictions sont plus solides, ne craignent pas les arguments de M. Monteil, et ne s'effarouchent pas de l'ouverture d'un musée de curiosités. La collection est, dit-on, fort rare; elle offre un intérêt historique qu'on dit considérable. Nous serons charmés de la voir installée à Paris.

Bulletin municipal officiel
de la ville de Paris,
4ᵉ année, n° 76,
mardi 17 mars 1885

Opinion d'un journal catholique une quinzaine d'années plus tard

DIEU RENTRE

Lors de l'expédition des savants en Egypte, on fit grand bruit d'un certain zodiaque de Denderah qui devait renverser les faits bibliques, puis on s'est aperçu qu'il n'avait ni la date ni les significations supposées. En nos temps, des libre-penseurs, voulant se mettre au-dessus des dogmes et des traditions de l'Eglise, on a ouvert à grands frais un musée des religions, le musée Guimet, où, en fait, toutes les religions étaient étalées sauf la véritable, bien que, croyons-nous, on ne l'ait pas exclue théoriquement. Cependant, les exaltations choisies de tous les cultes et l'absence de tout ce qui nous rattache au Sauveur manifestaient assez qu'on donnait un rang inférieur à la religion et qu'on la croyait un pastiche des superstitions. De grosses sommes furent dépensées à ce musée, et les chrétiens entraient rarement en cet établissement de la libre-pensée où d'ailleurs on faisait parfois des cérémonies bouddhistes avec le concours de prêtres idolâtres.

Mais voici que, par la force des choses, le «musée Guimet», en aidant aux fouilles de M. Gayet dans le cimetière d'Antinoë en Egypte, cimetière qui a 12 kilomètres de profondeur et où les corps sont sous une faible couche de sable, le musée Guimet a mis au jour des souvenirs chrétiens

précieux et les a étalés au second étage de sa maison. Nous l'en félicitons. Depuis quelques jours, les catholiques entrent volontiers dans le musée, et la «non exclusion» d'un monument chrétien transforme presque en un bon endroit ce qui était justement considéré comme un domaine hostile.

Le Pèlerin du 30 juin 1901

Les bouddhistes au musée

Témoignage de l'officiant de la cérémonie du 13 novembre 1893.

Ensuite, venant à Paris et visitant les musées en différents endroits, je fus surtout stupéfié corps et âme par la somptuosité du palais du Louvre, qui surpasse toute expression. Pourtant, en ce qui concerne les objets extrême-orientaux, cela ne me surprend pas spécialement. Ensuite je me suis rendu au Musée asiatique Guimet. Le musée fut au début l'établissement privé de monsieur Guimet, mais maintenant il appartient entièrement au ministère de l'Instruction publique, c'est-à-dire qu'il est public. Quant aux collections, la façon de collectionner et de les présenter est bien en ordre et le classement est remarquable. Plus particulièrement en ce qui touche chaque secte, les fruits de l'effort se voient clairement et on s'imagine que l'on entre dans les temples de chaque secte. Je suis venu la première fois dans ce musée le 5 de ce mois et depuis j'y reviens tous les jours pour examiner les images, les instruments et les objets religieux, à plusieurs reprises. Finalement le nécessaire résultat des circonstances fut que le 13 du mois je présidai la cérémonie bouddhique Gohôraku de notre secte Shingon devant l'autel de la salle centrale du musée où sont installés les cinq bouddhas, cinq bodhisattvas, cinq rois de sapience, quatre rois gardiens, etc. En fait, ce fut la deuxième fois qu'une cérémonie bouddhique s'y déroulait, puisqu'en la vingt-quatrième année de Meiji [1891] les moines Koizumi et Yoshitsura avaient célébré le Hônkô.

Je savais bien que Paris est le centre de transmission des civilisations matérielles. Ainsi, elle ne peut pas ne pas être le centre de transmission des civilisations spirituelles. La célébration des rites bouddhiques à deux reprises dans le musée, au centre de Paris et de la France, avec comme assistance le président de la République, des ministres, des hommes importants et des savants, que cela peut-il être si ce n'est le signe du succès du développement du bouddhisme à Paris, en France? [...]

Lettre de Toki Hôryu(extrait)
22 novembre, Meiji 26 (1893),
traduite par K. Amato,
publiée dans *Mokubodô zenshû*, Kyoto.

Le musée Guimet à la fin du XIXe siècle, dans la mémoire d'Alexandra David-Neel (1868-1969) quelques soixante ans plus tard

En ce temps-là, le musée Guimet était un temple. C'est ainsi qu'il se dresse, maintenant, au fond de ma mémoire.

Je vois un large escalier de pierre s'élevant entre des murs couverts de fresques. Tout en gravissant les degrés, l'on rencontre successivement un brahmine altier versant une offrande dans le feu sacré; des moines bouddhistes vêtus de toges jaunes s'en allant quêter, bol en main, leur nourriture quotidienne; un temple japonais posé sur un promontoire auquel conduit, par-delà un torii rouge, une allée bordée de cerisiers en fleur. D'autres figures, d'autres paysages de l'Asie sollicitent encore l'attention du pèlerin montant vers le mystère de l'Orient.

Au sommet de l'escalier, le «saint des saints» du lieu apparaît comme un antre sombre. A travers une lourde grille qui en défend l'accès, l'on entrevoit une rotonde dont les murs sont entièrement garnis de rayons chargés de livres. Dominant de haut la bibliothèque, un Bouddha géant trône, solitaire, abandonné à ses méditations.

A gauche, des salles très discrètement éclairées donnent asile à tout un peuple de déités et de sages orientaux. Dans le silence solennel de cette demeure créée pour eux, les uns et les autres poursuivent une existence secrète, incarnée dans leurs effigies ou dans les ouvrages qui perpétuent leurs paroles.

A droite, est une toute petite salle de lecture où les fervents de l'orientalisme s'absorbent en de studieuses recherches, oublieux de Paris dont les bruits heurtent en vain les murs du musée–temple, sans parvenir à troubler l'atmosphère de quiétude et de rêve qu'ils enclosent.

Dans cette petite chambre, des appels muets s'échappent des pages que l'on feuillette. L'Inde, la Chine, le Japon, tous les points de ce monde qui commence au-delà de Suez sollicitent les lecteurs... Des vocations naissent... la mienne y est née.

Tel était le musée Guimet quand j'avais vingt ans.

Alexandra David-Neel,
L'Inde, hier, aujourd'hui, demain,
Paris, Plon, 1951

Une conception bien arrêtée des musées

La visite des musées étrangers permit à Emile Guimet de se faire une opinion précise sur ce que devait être un musée. Une fois ses collections constituées, ses idées ordonnées, il essaya de mettre celles-la en application et les garda jusqu'à la fin de sa vie.

Le musée du Boulak en Egypte

Le Musée est fort curieux, très bien tenu et le catalogue, rédigé par M. Mariette, le conservateur, est admirablement fait.

Dans une vitrine on a réuni une collection de toutes les divinités qui forment le panthéon égyptien. En voyant ce nombre infini de dieux on est pris d'abord de pitié pour ce fétichisme compliqué, ce paganisme formidable qui ne devait amener que superstition sur superstition. Mais si, le catalogue à la main, on examine avec attention le rôle de chacun de ces dieux, l'époque qui le fit naître, les lieux où il était adoré, l'idée d'une religion pure se dégage peu à peu et ces figures que l'on avait prises pour des idoles ne sont guère que des

La cour intérieure (aujourd'hui salle Kmêre) du musée dans laquelle se dressait le moulage du portail Est du grand stoûpa de Sanchi (Inde).

emblèmes; emblèmes dangereux, il est vrai, pour la conservation de l'idée religieuse élevée, car les peuples ont toujours plus de facilité à admettre la puissance d'une amulette ou d'une statue que la force morale de l'allégorie représentée.

Mariette-Bey, en l'organisant, a eu une très bonne idée, qui consiste à indiquer pour chaque objet antique sa provenance, les circonstances dans lesquelles il a été trouvé et, quand on le peut, l'époque à laquelle il remonte. De cette manière, chaque fragment a son intérêt et son enseignement. Tant que les musées d'antiquités ne suivront pas cette méthode, ils n'apprendront jamais rien aux visiteurs, tandis que le musée égyptien de Boulak est intéressant et attachant dans toutes ses parties.

Croquis égyptiens
Journal d'un touriste
Paris, Hetzel, 1867

Visite de l'Acropole, à Athènes, en 1868

La Provenance, c'est la pierre d'achoppement de tous les musées! Quand donc comprendra-t-on qu'une collection n'apprend rien tant que l'on ne sait pas les circonstances qui ont accompagné chaque découverte; quand donc les archéologues auront-ils le soin de ne rien exhumer sans faire une sorte de procès-verbal de la trouvaille? Tel morceau, insignifiant en lui-même, prend une valeur énorme par l'endroit où on le rencontre.

L'Orient d'Europe au fusain,
notes de voyage,
Paris, Hetzel, 1868

Les musées de Copenhague

La capitale du Danemark possède plusieurs musées célèbres, non seulement à cause des richesses qu'ils contiennent, mais particulièrement à cause de leur intelligente organisation.

Le musée ethnographique, le musée des Antiquités du Nord, le Muséum d'histoire naturelle et le musée des œuvres de Thorvaldsen sont autant de collections qu'on peut prendre pour modèles, soit comme système d'administration, soit comme moyens d'exhibitions, soit comme clarté de classement.

Chaque musée a un nombreux personnel de conservateurs qui se divisent le travail, mais leur rôle est surtout l'enseignement, la démonstration des objets catalogués. Les jours où les collections sont ouvertes au public, au lieu de profiter de l'occasion pour aller à la campagne comme c'est l'usage en France, les conservateurs sont tenus de rester dans les salles à la disposition des visiteurs; et, cicérones complaisants et compétents, avec une patience infatigable, ils expliquent, analysent, développent, comparent, signalent, raisonnent, enseignent avec l'autorité du professeur, la conviction du savant, le dévouement de l'apôtre...
On a compris ici que les vitrines des collections ne sont pas seulement destinées à satisfaire la curiosité des désœuvrés, mais aussi à meubler l'intelligence et la pensée de faits intéressants dont la portée philosophique est le but.
Par ce système, le sentiment contemplatif ne tarde pas à être suivi de l'application, la réflexion amène la pratique, et la connaissance de la nature ou des œuvres de l'homme conduit à l'art de penser et d'agir.

En somme ce qui manque à nos musées français et ce qu'on trouve ici, c'est la mise en lumière des objets; or, telle collection, modeste, peu importante, incomplète même, mais bien classée, bien exposée et entourée d'un enseignement, rendra plus de services que les somptueux entassements du Louvre et du British Museum...

Le musée ethnographique de Copenhague contient des séries très complètes des divinités de tous les pays...

Et, en sortant de ce musée unique dans son genre, je me demandais si en France nous avions quelque chose d'analogue, et si nous ne devrions pas au plus tôt fonder une collection dont les enseignements sont si attrayants et si profitables.

Esquisses scandinaves,
relation du Congrès d'anthropologie et
d'archéologie préhistorique,
Paris, Hetzel, s.d. 1874

Le programme (1876)

En résumé, Monsieur le ministre, j'espère pouvoir établir à Lyon:

1º Un *musée religieux,* qui contiendra tous les dieux de l'Inde, de la Chine, du Japon, et de l'Egypte. Ces deux dernières collections sont déjà complètes;

2º Une *bibliothèque* des ouvrages sanscrits, tamoul, singalais, chinois, japonais et européens traitant particulièrement les questions religieuses (près de trois mille volumes sont déjà rassemblés);

3º Une *école*, dans laquelle les jeunes Orientaux pourront venir apprendre le français, et les jeunes Français pourront étudier les langues mortes ou vivantes de l'Extrême-Orient.

Cette école aura des professeurs indigènes, de croyances différentes. Je suis déjà assuré du concours de cinq

L'égyptologue Alexandre Moret (1868-1938) fut conservateur-adjoint puis conservateur du musée (1905-1923) avant d'occuper une chaire au Collège de France.

sectes bouddhiques japonaises, de deux sectes bouddhiques indiennes, d'un confucéen et de plusieurs shintoïstes.

J'ai tout lieu de supposer que cette institution, aussi utile aux *intérêts commerciaux* qu'à la *philosophie* et à la *philologie*, sera fréquentée par les nombreux jeunes gens de Lyon, qui se destinent au commerce extérieur ou que l'éloignement de la capitale prive des moyens de se livrer aux études des langues.

Cette école sera en relation constante avec les correspondants spéciaux que j'ai établis dans l'Inde, la Chine, le Japon, et toute personne qui s'intéresse aux questions religieuses pourra y trouver des informations sûres et immédiates.

C'est grâce à cette organisation que je pourrai successivement publier en *français avec le texte original en regard,* les traductions des documents inédits que j'ai rapportés.

La première publication reproduira les notes manuscrites, rédigées sur mes questionnaires, et remises par les prêtres mêmes des religions qui ont fait l'objet de mes études.

Rapport au ministre
de l'Instruction publique.

Les bonnes règles de la présentation

En cherchant à présenter convenablement ces objets, j'eus une sorte de révélation qui me charma; c'est qu'une exposition doit avoir la clarté, l'unité, l'intensité d'une œuvre d'art; qu'il faut en faire harmonieuses les grandes lignes, y former des points saillants, lumineux, qui arrêtent et y ajouter des parties sombres et calmes dont le mystère attire. Une certaine mise en scène est l'éloquence des choses, surtout quand des choses doivent instruire. Et, dans les détails, j'éprouvais la jouissance d'ordonner une vitrine, de profiter du classement méthodique pour juxtaposer des pièces qui se font ressortir par la différence des formes, par la variété des couleurs; ou encore de disposer des masses, monochromes qui aident à l'éclat d'un document qu'on veut souligner.

Le Jubilé du musée Guimet,
Paris, 1904

Vers 1913 E. Guimet vieilli est photographié ici entouré des gardiens du musée avec à sa droite Joseph Hackin (1886-1941) qui travailla de 1907 à 1941 au musée dont il fut le conservateur à partir de 1923.

Le musée Guimet selon Guimet

Notre musée est une collection d'idées; nous y faisons l'histoire de la pensée humaine.

Nous rassemblons les documents relatifs aux croyances, aux philosophies, à l'histoire, à la littérature, à l'art sous toutes ses formes.

Ecartant les civilisations qui nous touchent, les religions pratiquées autour de nous, ayant les regards dirigés vers l'Antiquité et les peuples lointains mais civilisés pourtant, nous avons recueilli des documents, un peu incohérents au début, mais dont, peu à peu, les séries se complètent et s'éclairent par le voisinage les unes des autres.

Ces éléments ne se rassemblent pas seulement au hasard de la rencontre, comme une collection de curiosités; il faut les connaître d'avance, les deviner parfois, savoir où les trouver, les vouloir, les conquérir. Il faut voyager au loin, faire voyager, subventionner des chercheurs, des archéologues chargés de faire des fouilles aux endroits précisés.

Il faut, outre les pièces religieuses, statues, objets du culte, trouver les bibles, les chroniques, les manuscrits, former la vaste bibliothèque qui élucidera tout.

Il faut, pour chaque pays, le concours de tous les savants qui connaissent le pays, de tous les philologues qui lisent sa littérature.

Et enfin expliquer le Musée par les livres.

[...] Le Musée tel que je l'ai réalisé est donc, vous le comprenez, une institution complexe, une usine de science philosophique, dont les collections ne sont que la matière première.

Comité-conseil du musée Guimet exposé par Monsieur E. Guimet,
Lyon, 1907

Guimet philanthrope vu par lui-même

Emile Guimet se faisait une haute idée de son rôle de chef d'entreprise, il se sentait une vocation d'éclaireur de la société, attitude peut-être non exempte d'influence saint-simonienne.

En 1904, pour le Jubilé du Musée, Guimet avait exprimé ses préoccupations sociales liées à la fondation de l'établissement.

L'intérêt que je portais aux travailleurs que chaque jour je coudoyais me faisait rechercher avec avidité la société des grands penseurs de l'humanité; de même que les études que je faisais de leurs conceptions morales me ramenaient à en faire profiter ceux qui m'entouraient.

Il y avait donc, dans mon ardeur à rechercher les documents écrits ou figurés, une sorte de surexcitation qui venait du désir d'atteindre un but immédiat, tangible, de l'espérance que ces travaux pouvaient semer un peu de bonheur.

Cinquante ans de patronat

Le 3 juillet 1910, des festivités sont organisées à Fleurieu pour célébrer ses cinquante années de patronat.
Au banquet, les allocutions se succèdent et le héros du jour répond par un discours où il expose sans fard ses conceptions de patron social. Les différentes interventions qui furent publiées sous le titre de «Cinquantenaire» donnent bien une image de chef d'entreprise paternaliste.

Lorsque, il y a cinquante ans, j'ai été mis à la tête de l'usine, je ne vous cache pas que je n'avais pas un grand enthousiasme pour cette nouvelle situation. Jusque-là je ne m'étais occupé que de musique, travaillant avec ardeur l'art de la composition.

Mais j'ai compris qu'il était de mon devoir de ne pas laisser péricliter une industrie créée par mon père et qu'il ne fallait pas abandonner les ouvriers qui vivaient de cette industrie.

J'ai été récompensé de mon sacrifice. J'ai trouvé dans le personnel des travailleurs intelligents, dévoués. La plupart me connaissaient depuis mon enfance; ils m'appelaient: Monsieur Emile; ils formaient une vraie famille et, bien vite, je leur ai voué toute mon affection.

La famille s'est étendue. Il y avait à Neuville aussi des ouvriers. J'ai pris contact et j'organisai l'Orphéon qui, vous le savez, eut sa célébrité. [...]

Avant l'Orphéon, j'avais créé en Bourgogne la Fanfare de Demigny, composée de vignerons. C'est pour eux que j'ai fait toutes ces chansons de vendanges que l'on chantait quand le vin coulait du pressoir. Puis je fondais la Fanfare de Fleurieu, où dominaient les agriculteurs. [...]

Mais il ne suffit pas de donner au peuple le goût et la pratique de l'art, il faut aussi l'instruire et je m'occupai des écoles.

Je fus administrateur de l'Ecole de la Martinière, dont mon père avait été Président. Institution admirable qui crée des contre-maîtres, des chefs d'usines de premier ordre, à laquelle on doit la prospérité de l'industrie lyonnaise.

Je fus aussi l'administrateur de la Société d'Enseignement professionnel du Rhône qui organisa des cours du soir et des conférences.

Enfin, je fus nommé membre du Conseil de la Société d'Instruction primaire qui administrait toutes les écoles de la ville. Il y en avait quatre-vingts. [...]

Ce goût que je prenais pour l'enseignement populaire m'amena à fonder des salles d'asile et des écoles. J'organisai ici à Neuville une école mixte de garçons et de filles, comme j'en avais vu fonctionner en Amérique. [...]

Je me suis aussi intéressé aux sociétés de Secours Mutuels. Ce sont des œuvres d'une grande importance. Neuville a la gloire d'avoir fondé en 1822 la plus ancienne société de Secours Mutuels du Rhône. [...]

Vous voyez que si j'ai fait de l'industrie, c'était pour être utile au peuple, si j'ai fait de la musique, c'était pour le distraire et lui donner le goût de l'art; si j'ai fait des écoles, c'était pour instruire; si j'ai subventionné des sociétés de secours mutuels, c'était pour le soulager dans ses tristesses, et je vais vous expliquer que si je me suis occupé de philosophie, si j'ai fondé le Musée des Religions, c'était pour donner aux travailleurs le moyen d'être heureux. De sorte que ma vie qui semble un peu éparpillée a, je crois, une grande unité. Mon existence n'a eu qu'un but : aimer et servir les prolétaires.

Mais il ne suffit pas de penser au bien-être matériel, il faut s'occuper aussi de la santé de l'esprit, il faut apprendre aux gens à être heureux. Pour obtenir ce résultat, j'ai consulté l'histoire des civilisations, j'ai recherché, dans tous les pays, dans tous les temps, quels hommes avaient voulu faire le bonheur des autres, et j'ai trouvé que c'étaient tous les fondateurs de religions. [...]

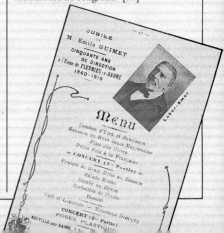

BIO-BIBLIOGRAPHIE D'EMILE GUIMET

1795 Naissance à Voiron (Isère), le 20 juillet, de Jean-Baptiste Guimet, père d'Emile Guimet
1798 Naissance de Rosalie Bidauld, mère d'Emile Guimet
1804 Jean Guimet, ingénieur des ponts et chaussées, grand-père d'Emile Guimet, publie un projet d'un port qui facilitera l'entrée des vaisseaux à Marseille. - Paris, an XII
1813-1816 Jean-Baptiste Guimet à l'école polytechnique
1817?-1834 Jean-Baptiste Guimet fonctionnaire de l'administration des poudres en diverses villes de France
1826 Mariage de Jean-Baptiste Guimet avec Rosalie Bidauld
1827 Découverte de l'outremer artificiel par Jean-Baptiste Guimet
1831 Installation de Jean-Baptiste Guimet à Lyon
1834 Création de l'usine du bleu artificiel à Fleurieu-sur-Saône, dans la banlieue de Lyon
1836 Naissance d'Emile Etienne Guimet à Lyon, le 2 juin
1843 Jean-Baptiste Guimet élu conseiller municipal de Lyon
1846 Mort de Berthilde, soeur d'Emile Guimet, âgée de 17ans
1849 Réception de Jean-Baptiste Guimet à l'Académie de Lyon
1855 Jean-Baptiste participe à la création par Henri Merle de la société en commandite par action «Henry Merle et Cie», future Société Pechiney
1856 La société Henry Merle et Cie devient «Compagnie des produits chimiques d'Alais et de la Camargue», Jean-Baptiste Guimet en est le président
1860 Emile Guimet succède à son père à la direction de l'usine de Fleurieu-sur-Saône
Emile Guimet fonde l'Orphéon de Neuville
1861 Fonde la Fanfare de Fleurieu
1862 Voyage en Espagne avec Henri de Riberolles
Publie *A travers l'Espagne, lettres familières, avec des post-scriptum en vers par Henri de Riberolles*. - Lyon : C. Méra
1863 Publie Croquis espagnols pour Piano. Paris : Flaxland
1864 L'Espagne, lettres familières. - Paris, L. Cajani. - grand in-folio illustré de lithographies

1865 Emile participe au concours de chœurs de Dresde au mois de juillet
Publie *Cinq jours à Dresde (Juillet 1865)*. - Lyon : imp. Vingtimier. Republié pour sous-titre *Relation de la grande fête des chanteurs du 22 au 26 juillet 1865*. - Lyon : Charles Méra
9 novembre 1865-16 janvier 1866 : Voyage en Egypte
1867 Publie *Croquis égyptiens : journal d'un touriste*. - Paris : Hetzel
Mort de sa sœur, Dorothée-Louise, épouse du baron Durand de Fontmagne
Elu membre de l'Académie de Lyon (5 juin)
1868 Voyage en Grèce, Turquie, Roumanie, etc.
Publie L'Orient d'Europe au fusain : notes de voyage. - Paris : Hetzel
Mariage d'Emile avec Lucie Saulaville et décès de celle-ci
1869 Voyage en Algérie et en Tunisie
1870 Publie *La Musique populaire, discours de réception à l'Académie des sciences, belles-lettres et arts de Lyon, prononcé dans la séance publique du 21 décembre 1869 par M. Emile Guimet*. - Lyon : Association typographique (32 p.)
1871 Mort de Jean-Baptiste Guimet, le 7 avril
1872 Publie *De l'Ascia des Egyptiens*. - Lyon.
1873 Publie *Arabes et Kabyles : pasteurs et agriculteurs*. - Lyon (24 p.).
Publie *Le Feu du Ciel : orientale* symphonie/paroles de Victor Hugo.Paris : Léon Grus
Lit à la Société littéraire, historique et archéologique de Lyon un conte : L'Emprunt fantastique
1874 Participe au Premier Congrès des orientalistes à Paris
Assiste au Congrès d'anthropologie et d'archéologie préhistorique de Stockholm (passe par Hambourg et Copenhague)
1875 Publie le rapport de son voyage à Stockholm : *Esquisses scandinaves, Relation du Congrès d'Anthropologie et d'Archéologie préhistorique*. - Paris : Hetzel
Publie *Travaux de M. Chabas sur les temps de l'Exode* (compte rendu lu à l'Académie de Lyon le 27 avril) dans les Mémoires de l'Académie des sciences,... de Lyon (12 p.). Autre édition à Lyon (imprimerie Aimé Vingtrimier), sans date (15 p.)
Publie *De l'origine des anciens peuples du Mexique dans De l'origine des anciens peuples du Mexique*. - Lyon : Société de Géographie de Lyon (p. 25-40). Tirage indépendant, idem (20 p.)
1876 Mort de la mère d'Emile Guimet

Conférence à la Société d'enseignement professionnel du Rhône : La Statue vocale de Memnon (22 mars)

Départ du Havre le 20 mai 1876, à bord du «France».

Après avoir visité l'Exposition universelle de Philadelphie, voyage, à partir de San Francisco, au Japon, en Chine et en Inde accompagné de Félix Régamey

Arrivée à Yokohama le 26 août, visite les régions de Kamakura, Tokyo, Nikkô, la route du Tôkaidô, Ise, Kyoto, Kobe

Départ du Japon, début novembre ; embarquement à Kobe pour Shanghai. Visite de la Chine et de l'Inde

1877 Rentre en France vers le mois de mars

Nommé chevalier dans l'ordre de la Légion d'honneur (10 avril)

Présente son rapport de voyage, daté du 15 avril, *Rapport au Ministre de l'Instruction Publique et Beaux-arts sur la Mission scientifique de M. Emile Guimet dans l'Extrême-Orient* (publié à Lyon en 1878)

Mariage avec la sœur de sa première femme

Publie *Aquarelles africaines, Etudes et Correspondances* [recueil d'articles précédemment parus]. - Paris : Hetzel

Publie *Note sur les outremers*, communication faite à l'Académie de Lyon à la séance du 12 novembre 1877. (Rééditions en 1889, 1910 et 1915)

Publie *Mémoire sur les outremers*, communication faite à l'Académie de Lyon à la séance du 3 décembre 1877. (Rééditions en 1898 et 1910)

Publication à Tokyo et à Kyoto de la conférence entre Emile Guimet et des moines japonais de la secte Shinshû, tels que SHIMAJI Mokurai, AKAMATSU Renjô, ATSUMI Keiroku *Montai ryakuki : fu, kyôgi ryakutô*

1878 Organise le Congrès régional des orientalistes à Lyon

Participe à l'Exposition universelle de Paris en présentant des objets rapportés de son voyage ainsi que les peintures de Régamey et publie *Note explicative sur les objets exposés par M. Emile Guimet et sur les peintures et dessins faits par Félix Régamey* (traduit en japonais par Aoki Keisuke. Tokyo, 1976)

Publie *Promenades japonaises* avec des illustrations de Félix Régamey

Publie sa notice lue à l'Académie de Lyon le 26 mars, *Hospice des enfants trouvés à Canton* (Mémoires de l'Académie des sciences,... de Lyon) (6 p.)

1879 Inauguration du musée Guimet de Lyon, le 30 septembre, en présence de Jules Ferry, ministre de l'instruction publique et des beaux-arts

Publie *Théâtres lyriques en province*. - Paris (Typ. Pillet et Dumoulin) (7 p.)

Publie *La Question du théâtre lyrique*. - Paris (Typ. Pillet et Dumoulin) (3 p.)

Publie *Exposition Universelle : 1878 : Renseignements sur la fabrication de l'outremer*. - Lyon : Association typographique, 15 p.

1880 Publie *Promenades japonaises, Tokio-Nikko* (traduit en japonais par Aoki Keisuke, Tokyo, 1983)

Publie le tome I des *Annales du Musée Guimet* dans lequel il réimprime son article "Le Mandara", précédemment paru dans le catalogue de l'exposition universelle ainsi que la traduction en français du *Montai ryakuki : fu, kyôgi rayakutô*, conférence avec des moines japonais de la secte Shinshû de Kyoto

Publie plusieurs pièces de musique vocale

1882 Publie son discours fait à l'Académie de Lyon, *Chants populaires du Lyonnais. Rapport sur le concours pour le prix Christin et de Ruolz* (Mémoires de l'Académie... de Lyon ; vol. 22)

1883 **Ecrit la préface d'*Okoma, roman japonais illustré de Félix Régamey***

Début d'une série de commentaires sur des tableaux de Régamey parus dans l'Illustration sous le titre de *La Chine contemporaine*

Publie *Note sur la réunion des ouvriers de l'ameublement à Paris* (Mémoires de l'Académie... de Lyon ; vol. 22), lue à l'Académie le 13 mars

1884 Publie *Le Théâtre en Chine* le 16 avril, conférence sur le Théâtre au Japon au cercle Saint-Simon de Paris avec Régamey

le 29 mai, conférence sur le même sujet au théâtre de Vaudeville de Lyon avec Régamey

Publie *Six pièces caractéristiques pour piano et violon*. Paris : Chez les principaux éditeurs.

1885 Décision du don à l'Etat des collections du musée de Lyon et du transfert de celui-ci à Paris

1886 Publie la conférence *Le Théâtre au Japon*. - Paris, Lib. Léopold Cerf (25 p.)

Publie *Le Musée Guimet à Paris 1886-88*

Publie *Huit jours aux Indes* dans Le Tour du Monde, tomes 49 & 56

1887 Publie *Sécurité dans les théâtres*. - Lyon : Imprimerie de Pitrat aîné (42 p.)

Accède à la présidence de la société Pechiney et Cie

1888 Publie son *Rapport sur le concours pour le Prix Louis Dupasquier, lu le 11 XII 1888*. - Lyon, 8 p.

Assure la direction d'une usine à Dôle
Publie *Les Hymnes : oratorio en deux parties pour soli, chœurs et orchestre*/paroles de A. de Lamartine Lyon : Adrien Rey ; Paris : Durand, Schœnewerk.
1889 Le 20 novembre, inauguration du musée Guimet, place d'Iéna, en présence de Sadi Carnot, président de la République
Participe à l'Exposition universelle de Paris
Invité à la cérémonie du thé chez le vicomte Tanaka, avec Clémenceau
1891 Organise au musée, le 21 février, une cérémonie bouddhique de la secte Shin-shû
Communication sur le 9e Congrès des orientalistes de Londres
1893 Organise au musée, le 13 novembre, une cérémonie bouddhique de la secte Shingon
Décoration par le Japon avant cette date
1894 Représentation au Grand Théâtre de Marseille, le 11 avril, de son opéra *Taï-Tsoung* composé sur un livret à sujet chinois d'Ernest d'Hervilly
Publie *Appréciations sur Taï-Tsoung, opéra en 5 actes et 7 tableaux, paroles d'Hervilly, musique d'Emile Guimet...* / [préface de L. Bailly ; publié par E. Guimet]. - Lyon {3e édition, 1914, in-8o, 50 p.}
1895 Publie *Le Dieu d'Apulée* dans le périodique qu'il avait créé La Revue de l'histoire des religions, n 2
Promu, le 20 juillet, au grade d'officier dans l'Ordre de la Légion d'Honneur
1896 Conférence et publication de *L'Isis romaine* dans les Comptes rendus de l'Académie des inscriptions et belles-lettres
1897 Publie *Les Fouilles d'Antinoé*. - Paris (6 p.)
1898 Publie *Plutarque et l'Egypte* dans La Nouvelle Revue (35 p.)
Organise une cérémonie bouddhique lamaïque au musée (27 juin)
Conférence à Rouen *Chine ancienne et moderne* et publication de la conférence dans Bulletin de la société normande de géographie (19 p.)
1899 Nommé Commandeur de l'Ordre du Trésor Sacré (Japon)par décret du 31 août
Conférence au musée : Le culte isiaque à Rome et en Egypte
1900 Elu vice-président de la Société franco-japonaise de Paris, fondée à l'occasion de l'exposition universelle de Paris
Publie *Les Isiaques de la Gaule* dans la Revue archéologique, tome 36 {cf. aussi t. II, 1912 et t. V, 1916)
Conférence au musée : Les Philosophes de la Chine

1901 Conférence au musée : La religion en Chine
1902 Conférence, le 16 février, *Sur les récentes découvertes archéologiques faites en Egypte* parue dans le Bulletin trimestriel de la Société desanciens élèves de la Martinière (1903 ?), p. 614-634
Ecrit une préface pour *Conférences au musée Guimet 1898-1899* de L. de Milloué
Conférence au musée : Les premiers chrétiens de l'Egypte
1903 Voyage au Proche-Orient
Conférence, le 8 février, *Les musées de la Grèce* parue dans le Bulletin trimestriel de la Société des anciens élèves de la Martinière, p. 691-713
Publie *Symboles asiatiques trouvés à Antinoë (Egypte)* dans Annales du musée Guimet, tome XXX, 3e partie
1904 Publie, pour la commémoration du 25e anniversaire du musée, *Jubilée du Musée Guimet* : le vingt-cinquième anniversaire de sa fondation 1879-1904. - [1e éd.Paris : Leroux ; 2e éd. Lyon : Rey]
Conférence, le 28 février, à la Société des anciens élèves de la Martinière, intitulée *Des Antiquités de la Syrie et de la Palestine;* publiée la même année à Lyon (23 p.)
Assiste au 2e congrès international de l'histoire des religions de Bâle et y prononce plusieurs communications dont une *Les Stèles à Serpent*
1905 Publie *Lao Tzeu et le Brahmanisme,* communication faite au 2e congrès international de l'histoire des religions de Bâle de 1904 (16 p.)
Publie *Le Dieu aux Bourgeons,* communication faite au congrès précédemment cité [Comptes rendus de l'Académie des inscriptions et belles-lettres]
Publie un recueil de ses conférences au musée précédemment parues, *Conférences faites au musée Guimet*. - (Bibliothèque de vulgarisation; 17)
Discours pour l'inauguration des écoles de Salin-de- Giraud ; publié : *Inauguration des écoles du Salin de-Giraud en Camargue (Bouches-du-Rhône), 22 oct. 1905* / [Discours de MM Nicolas, maire d'Arles, Bienvenu-Martin et E. Guimet]. - Lyon
1906 Publie *Note sur l'anthropologie des Chinois* dans Archives d'anthropologie criminelle, n° 157, janv. 1907
Conférence, le 26 février, à la Société des Anciens élèves de la Martinière *Sur le théâtre en Chine* publiée à Lyon la même année (31 p.)
1907 Publie *Comité conseil du musée Guimet*
Voyage en Allemagne
1908 Communication *Les Chrétiens d'Antinoë* au

3e congrès de l'histoire des religions d'Oxford
Assiste au Congrès des orientalistes de
Copenhague
Voyage en Sardaigne
1909 Publie *Les Chrétiens et l'empire romain*
dans La Nouvelle revue (42 p.)
Publie *Observation sur la fabrication de vases
égyptiens de l'époque préhistorique,*
communication faite à la Société
d'anthropologie de Lyon
**1910 Célèbre ses cinquante ans de direction de
l'usine de Fleurieu** et publie *Emile Guimet,
Cinquantenaire, 1er janvier 1860-1er janvier 1910*
Publie *Lucien de Samosate : philosophe* dans La
Nouvelle Revue, étude qui paraît aussi dans les
Annales du musée Guimet
Publie un avant-propos à *La Peinture chinoise
au musée Guimet* / Tchang Yi-tchou. - Paris
Publie *Notes politiques et sociales* qui contient
Les grades politiques par E. Guimet. - Lyon, in-
16, 57 p.
1911 Publie (?) *Fanfare de Fleurieu-sur-Saône,
1861-1911,cinquantenaire.* - Lyon, [s.d.]
1912 Membre du conseil d'administration de la
société «L'Aluminium français» créée cette
année-là
Installation de la «Salle des cigognes» (copie
d'une salle du temple Hongan-ji de l'ouest,
Kyoto) au musée Guimet de Lyon.
1913 Publie *Les âmes égyptiennes* dans la Revue
de l'histoire des religions, tome 68
Publie *Promenade de Nice pour piano.* Lyon :
L'express. musicale.
1914 Publie *Les portraits d'Antinoë au Musée
Guimet* (Annales du musée Guimet,
bibliothèque d'art, tome V)
Publie *Les Isiaques de la Gaule* dans la Revue
archéologique, tome XX
1915-16 Publie *Après la guerre, notes
d'économie politique.* - Fleurieu-sur-Saône :
Imprimerie de l'usine Guimet, 1915-1916 (3
fasc.)
1917 Célébration du Cinquantenaire de
Monsieur EmileGuimet à l'Académie des
Sciences, Belles Lettres et Arts de Lyon 1867-
1917
1918 Meurt à Fleurieu-sur-Saône, le 12 octobre
1920 Mort accidentelle en janvier de Jean
Guimet, fils d'Emile, président du Comité-
conseil du musée.

NB : ce tableau bio-bibliographique ne
mentionne pas diverses contributions données
à la Presse.

GLOSSAIRE

Bakufu «gouvernement de la tente» (ainsi
nommé à cause de l'origine militaire de
l'institution); siège du gouvernement du
shogoun, organe central de celui-ci ou nom
générique de cette forme de gouvernement.

Kannon (sanscrit: Avalokiteçvara) divinité
bouddhique souvent représentée au Japon sous
une forme féminine.

Mandala terme sanscrit servant à désigner, dans
le bouddhisme, un diagramme symbolique qui
peut être peint, sculpté, tissé…

Meiji «gouvernement des lumières», nom de
l'ère (1868-1912) correspondant au règne de
l'empereur Mutsuhito et sous lequel ce dernier
est connu.

Mikado : empereur du Japon.

Shogoun chef militaire qui, à certaines époques,
gouverne le pays au nom de l'empereur.

Taïcoun «grand prince», nom donné par les
Occidentaux au shogoun.

Tokugawa famille de seigneurs qui accède au
pouvoir avec Ieyasu, nommé shogoun en 1603.
Elle avait les branches cadettes de Wadayama et
de Mito. Le dernier shogoun était issu de la
branche de Mito.

Ukiyo-e «image du monde flottant», expression
bouddhique désignant le caractère éphémère de
la vie que dépeint une école de peinture et
d'estampe (XVIIe-XIXe siècles).

Yokohama-e «image de Yokohama», genre
d'estampes de la seconde moitié de XIXe siècle
ayant pour thème Yokohama et les étrangers.

BIBLIOGRAPHIE SOMMAIRE

Généralités

*L'âge du Japonisme: La France et le Japon dans
la deuxième moitié du XIXe siècle : Le IIe
Colloque Franco-Japonais - Etudes Japonaises,*
Tokyo, Nichifutsu Bijutsu Gakkai, 1983.
Akamatsu, Paul, *Meiji - 1868: Révolution et*

contre-révolution au Japon, Paris, Calmann-Lévy, 1968.

Hérail, Francine, *Histoire du Japon des origines à la fin de Meiji,* P. O. F., Paris, 1986

Hérail, Francine, *Histoire du Japon,* Horvath, 1990.

Le Japon et la France: images d'une découverte. - Paris, Publications Orientalistes de France, 1974.

Yamada, Chisaburoh S. *Japon et Occident : deux siècles d'échange artistiques.* - Fribourg : Office du livre, 1977.

Japonisme in Art : an International Symposium edited by the Society for the Study of Japonisme. Tokyo : Comitee for the Year 2001, 1981.

Schwartz, William Leonard, *The Imaginative Interpretation of the Far East in Modern French Literature* 1800-1925, Paris Honoré Champion, 1927.

Catalogues d'exposition

1970, Pierre Landy, *Rencontres franco-japonaises: Exposition Universelle d'Osaka 1970, "Progrès dans l'Harmonie" Section Française, Catalogue de la collection historique réunie sur les rapports de la France et du Japon du XIIᵉ au XXᵉ siècle,* Paris-Osaka.

1987, *Comment Léon de Rosny, homme du Nord, découvrit l'empire du soleil levant,* 1837-1914, Lille, Bibliothèque municipale de Lille.

1988, Shimizu Christine, *Japon, la tentation de l'Occident 1868-1912,* Paris, Réunion des musées nationaux.

1988, *Le Japonisme,* Paris, Réunion des musées nationaux.

1989, *Les Collections bouddhiques japonaises d'Emile Guimet* (en japonais), Tokyo, Seibu Hyakkaten, 1989.

1992, Frank, Bernard, *Collections bouddhiques japonaises d'Emile Guimet* à paraître), Paris, Réunion des musées nationaux.

Sur quelques points précis:

Conant, Ellen P., «*The French Connection: Emile Guimet's Mission to Japan, A Cultural Context for Japonisme*», in *Japan in Transition, Thought and Action in the Meiji Era,* 1868-1912, Rutherford: Fairleigh Dickinson University,

London, Toronto, Cranbury, Associated University Press, 1984.

David, L., *Histoire du musée :* Guide du musée Guimet d'histoire naturelle de Lyon, 1772-1982, Lyon, Edition de l'Association régionale de Paléontologie-Préhistoire et des Amis du Muséum de Lyon, 1982.

Esmein, Suzanne, «*Voyageur, photographe, épistolier et collectionneur,* Hugues Krafft (1853-1935)» in *L'Ethnographie* (numéro spécial Japon), Louvain, (à paraître)

Frank, Bernard, *L'Intérêt pour les religions japonaises dans la France du XIXᵉ siècle et les collections d'Émile Guimet,* (Essais et conférences, Collège de France), Paris, PUF, 1986.

Kasaba, Eiko : *Emîru Gime to ongaku* (*Emile Guimet et la musique,* en japonais) in Hikaku bunkaku nenshi, n° 36, 1990, Tokyo

Omoto, Keiko, «*Gime Tôyô Bijutsukan to Emîru Gime*» (Musée Guimet et Emile Guimet) (en japonais), *in* Cahiers des études françaises, N° 9, 1980, Tokyo.

Omoto, Keiko, «*Le voyage d'Emile Guimet et de Félix Régamey au Japon* (1876)» (en japonais) in *L'âge du japonaisme,* 1983, Tokyo.

Shimizu, Christine, «*Diversités de l'art de Kawanabe Kyôsai, peintre japonais du XIXᵉ siècle*», *La Revue du Louvre,* fevr., 1986, N° 1.

INDEX